L'alimentation de la
femme enceinte

L'alimentation de la
femme enceinte

Recettes, menus et conseils diététiques pendant les 9 mois
de votre grossesse et après la naissance de votre bébé

L'alimentation de la femme enceinte

Traduction : Isabelle Delaye
Mise en page : Stéphane Angot
Édition : Laurence Dumoulin
Titre de l'édition anglaise : *The complete pregnancy cookbook*

Publié par :
Carroll & Brown Publishers Ltd.
20 Lonsdale Road, Queen's Park
London NW6 6RD

Text copyright © 2002 Fiona Wilcock
Illustrations and compilation © 2002 Carroll & Brown Publishers Limited

ISBN 2-87691-784-X
Imprimé à Singapour
Dépôt légal : 4ᵉ trimestre 2003
Nous nous efforçons de publier des ouvrages qui correspondent
à vos attentes, et votre satisfaction est pour nous une priorité.
Alors, n'hésitez pas à nous faire part de vos commentaires :

Éditions Générales First
27, rue Cassette
75006 Paris – France
Tél. : 01 45 49 60 00
Fax : 01 45 49 60 01
Internet e-mail : firstinfo@efirst.com
En avant-première, nos prochaines parutions, des résumés de tous les
ouvrages du catalogue. Dialoguez en toute liberté avec nos auteurs et
nos éditeurs. Tout cela et bien plus sur Internet à : **www.efirst.com**

Sommaire

Introduction

La grossesse : une étape passionnante de votre vie pendant laquelle un nouvel être se forme et grandit à l'intérieur de votre corps. C'est aussi le temps des grands bouleversements émotionnels et des projets d'avenir, placés tour à tour sous le signe de l'anxiété ou de l'euphorie. Elle ouvre parfois une phase de réflexion, de retour sur les moments passés et de projection vers une vie nouvelle, tournée vers votre enfant.

La grossesse exerce également ses effets sur la santé : vous vous sentez peut-être extrêmement fatiguée, vous souffrez de maux jusque-là inconnus ou vous vous trouvez plus jolie et sexy que jamais. Votre régime alimentaire entretient des liens étroits avec cette expérience physique et émotionnelle. Les nutriments que vous absorbez pendant votre grossesse apportent à votre bébé les éléments essentiels à son développement et un régime alimentaire équilibré constitue peut-être le geste le plus important que vous ferez jamais pour la santé de votre enfant. Bien manger est important pour vous maintenir en forme dès lors que vous envisagez une grossesse et même après l'accouchement, afin de retrouver votre silhouette. Les aliments vous apportent l'énergie nécessaire pour assumer votre vie quotidienne, mais ils sont également source de plaisir, qu'il s'agisse d'un petit extra occasionnel ou d'un succulent repas de fête en famille ou entre amis.

C'est dans cet esprit qu'ont été imaginées les recettes de ce livre. J'espère que vous y trouverez des plats à savourer pendant votre grossesse ou à tout moment de votre vie future.

Comment utiliser ce livre

L'alimentation de la femme enceinte vous présente des idées de repas, des recettes et des informations qui contribueront à votre équilibre nutritionnel pendant la grossesse, sans pour autant oublier la notion de plaisir.

Les **principes fondamentaux** vous expliquent tout ce qu'il vous faut savoir sur ce que vous devez (ou non) manger pendant votre grossesse. Vous y trouverez également des informations concernant la sécurité et l'hygiène alimentaires, la prise de poids et la façon de bien manger sur son lieu de travail, au restaurant ou en vacances.

Le **programme diététique** vous donne des conseils pour bien vous alimenter mois après mois, avant même le début de votre grossesse, et des idées de repas simples après la naissance. Les suggestions en italique renvoient à des recettes figurant dans ce livre. Sachez cependant que ces menus n'ont qu'une valeur indicative, car chaque femme vit différemment sa grossesse, selon ses envies et son appétit. N'hésitez pas à les adapter à votre mode de vie et à vos besoins énergétiques. Ce chapitre vous explique également quels nutriments privilégier au fil des mois et comment faire face à certains désagréments qui accompagnent parfois la grossesse.

Le chapitre **recettes** inclut plus de 100 recettes soigneusement testées, imaginées pour assurer votre équilibre alimentaire et vous accompagner tout au long de votre grossesse (toutes les recettes accompagnées du symbole Ⓥ conviennent à un régime végétarien). Beaucoup de ces plats se congèlent et raviront toute la famille si vous avez déjà des enfants. Vous y trouverez également quelques suggestions pour personnaliser la recette initiale. Essayez-les et faites-vous plaisir !

Principes fondamentaux

Céréales et féculents

Un régime alimentaire appétissant et équilibré vous permettra de bien nourrir votre bébé et mettra toutes les chances de votre côté pour vivre une grossesse heureuse. La notion de plaisir est ici essentielle. Lisez ces quelques principes fondamentaux, puis plongez-vous dans les recettes et laissez-vous tenter.

Bien manger pendant sa grossesse

Vous ressentirez les bienfaits d'une alimentation équilibrée tout au long de votre grossesse et même après la naissance de votre bébé. Bien manger vous aidera à mieux assumer les changements physiques et émotionnels que suppose la grossesse, les contraintes de l'allaitement et les premières semaines de maternité.

Bien évidemment, votre bébé bénéficiera de cette alimentation saine et vous lui donnerez ainsi toutes les chances de prendre un bon départ dans la vie. D'ailleurs, ces effets bénéfiques ne s'arrêtent pas à la naissance. Selon une étude, les personnes qui présentaient à la naissance une taille et un poids normaux sont moins prédisposées, à partir de la cinquantaine, aux maladies coronariennes et au diabète de type 2, ainsi qu'aux problèmes d'hypotension et de cholestérol que celles ayant souffert d'un déficit pondéral. Cette protection contre les maladies cardiaques, les attaques d'apoplexie et le diabète serait en partie liée à une bonne alimentation pendant la vie utérine.

Ce que vous mangez, votre bébé le mange aussi

Le placenta commence à se développer moins de deux semaines après la conception. Cette remarquable masse de tissus qui adhère à la paroi utérine communique avec le bébé par le cordon ombilical. Votre placenta régule l'apport de nutriments et favorise l'absorption par le bébé de tous les éléments essentiels à sa croissance et à son développement. Outre cette régulation, il permet à votre corps d'absorber plus efficacement certains nutriments (comme le fer) et met tout en œuvre pour répondre aux besoins de votre bébé, au détriment de vos propres réserves s'il le faut.

Être en bonne santé avant la grossesse favorise la fécondité et donne toutes ses chances à votre bébé. Voici quelques points méritant une attention particulière :

La vie continue...

À l'heure des repas avant la grossesse

Arrêter la pilule Il est attesté que le fait de prendre la pilule diminue vos réserves de vitamine B_6. Renforcez-les en mangeant des aliments riches en vitamine B_6 (voir page 15) avant et après l'arrêt de la pilule.

Consolider ses réserves Mangez des aliments variés pour permettre à votre corps de stocker les nutriments dont il aura besoin pendant la grossesse (voir pages 14-17), notamment le fer.

Réduire la caféine La caféine peut faire obstacle à l'absorption des minéraux. Mieux vaut donc la consommer loin des repas. Quant à l'alcool, il entraîne une diminution de la fécondité et, en quantité excessive, nuit à votre état de santé général. Arrêtez totalement de boire ou réduisez au maximum votre consommation d'alcool avant même la conception.

Acide folique Prenez quotidiennement un complément de 400 µg d'acide folique dès que vous envisagez d'avoir un enfant et jusqu'à la 12e semaine de grossesse.

Pour lui Le régime alimentaire de votre partenaire n'est pas sans conséquence sur sa fertilité. Il lui est conseillé de réduire sa consommation d'alcool et de privilégier les aliments riches en zinc, en sélénium et en vitamine E, nutriments qui jouent un rôle majeur dans la fécondité masculine.

Lait et laitages

Viandes, poissons et sources de protéines

Graisses et sucres

Fruits et légumes

Régime alimentaire de base pendant la grossesse

Les règles d'or d'une bonne alimentation restent les mêmes, que vous soyez enceinte ou non. Les aliments sont classés selon leur composition en nutriments et les besoins de votre organisme. Veillez simplement à respecter un équilibre entre ces différents groupes. Les quatre principales catégories d'aliments sont les féculents, les fruits et légumes, les viandes, poissons et autres sources de protéines et les laitages. Un cinquième groupe, plus restreint, comprend les graisses, les huiles et les sucres, nécessaires en petite quantité.

Céréales et féculents

Notre alimentation doit se composer pour un tiers environ de pommes de terre, de pain, de céréales et de légumes secs, source d'énergie. Consommés sous leur forme complète, ils apportent des fibres, du fer et davantage de vitamines du groupe B que les céréales raffinées. Mais ne vous limitez pas pour autant aux céréales complètes : elles ne sont pas la seule source de nutriments. Privilégiez la diversité. Certaines farines et certains pains blancs enrichis en calcium sont particulièrement indiqués pour les femmes enceintes qui ne mangent pas de laitages ou très peu. Les aliments complets, riches en fibres, permettent de lutter contre la constipation, problème fréquent pendant la grossesse.

Fruits et légumes

Fruits et légumes verts doivent également compter pour un tiers dans notre alimentation. Ils contiennent un large éventail de vitamines et de minéraux essentiels pendant la grossesse, ainsi que des éléments phytochimiques (voir page 14). Que vous soyez enceinte ou non, l'idéal est de

Les cinq catégories d'aliments Tout comme vous, votre bébé a besoin d'aliments appartenant à chacun de ces groupes, l'essentiel étant de trouver le juste équilibre.

consommer quotidiennement cinq portions de fruits et légumes, par exemple un verre de jus de fruit ou une salade au déjeuner, une pomme au goûter, quelques crudités en rentrant le soir et des légumes pour le dîner.

Les fruits et légumes constituent la principale source de vitamine C, d'autant plus nécessaire pendant la grossesse qu'elle est stockée en petite quantité. Il est donc particulièrement important de manger tous les jours des plats ou des en-cas à base de fruits et légumes, qui contiennent également des folates, essentiels pendant la grossesse (voir pages 15 et 35), des sucres et des féculents – source d'énergie à libération lente –, des fibres et toute une série de vitamines et de minéraux.

Certains minéraux contenus dans les fruits et légumes sont « liés » les uns aux autres, c'est-à-dire qu'il convient de les associer à d'autres aliments pour faciliter leur absorption par l'organisme. Ainsi, la vitamine C aide l'organisme à fixer le fer contenu dans les aliments d'origine végétale. Vous absorberez davantage de fer si vous accompagnez vos flocons de céréales d'un verre de jus d'orange ou votre sandwich d'une salade verte.

De nombreuses vitamines présentes dans les fruits et légumes sont solubles dans l'eau et risquent de disparaître pendant la préparation, la cuisson ou le stockage. Vous trouverez page 23 quelques conseils pour prévenir ce risque.

Bien manger pendant sa grossesse

Lait et laitages

Veillez à consommer quotidiennement trois portions de produits laitiers, soit environ 15 % de votre apport alimentaire. Source de protéines et de calcium facilement assimilable, essentiel pour les os et les dents de votre enfant, ils offrent aussi un apport non négligeable en vitamines B 2 et B 12.

Consommez de préférence du lait, des yaourts et des fromages allégés en matière grasse. Le lait demi-écrémé contient autant de calcium que le lait entier, il est moins gras et légèrement moins riche en vitamines A et D. N'oubliez pas que tous les fromages ne sont pas sans risque pendant la grossesse (voir page 20).

Viandes, poissons et autres sources de protéines

Les principales sources de protéines sont les viandes maigres, la volaille, les poissons et les œufs, et pour celles qui ne mangent pas de viandes, les noix, noisettes, etc., les légumes secs et les préparations végétariennes telles que le tofu, la mycoprotéine et le Quorn. Les protéines contiennent des acides aminés dont votre bébé a besoin pour que ses cellules, ses tissus et ses organes puissent se former.

Outre leur teneur en protéines, ces aliments sont riches en vitamines et minéraux. Les viandes maigres et la volaille contiennent du fer, du zinc, du magnésium et des vitamines B. Les poissons apportent de l'iode, et les poissons gras (comme le hareng, le maquereau et le saumon) des acides gras oméga 3, essentiels pour le bon développement des yeux et du cerveau de votre bébé. Les poissons gras en conserve, avec leurs arêtes (sardines et pilchards, par exemple), constituent une excellente source de vitamine D, de calcium et de fer. Pensez également aux œufs, rapides à préparer et très abordables, qui vous apporteront protéines, fer et vitamine D. Attention : ils doivent être bien cuits !

Lentilles, pois chiches, haricots, noix, noisettes, etc. contiennent également des protéines et des minéraux. Les futures mamans strictement végétariennes doivent diversifier au maximum leur alimentation pour disposer d'un apport suffisant en acides aminés. Le soja et ses dérivés sont excellents, qui contiennent des acides aminés plus complets sur le plan nutritionnel que d'autres produits d'origine végétale.

Deux ou trois portions d'aliments protéiques (soit environ 12 % de votre ration alimentaire journalière) suffisent, car même si les besoins en protéines sont accrus durant la grossesse, ils restent largement couverts par une alimentation standard de type occidental.

Graisses et sucres

Les aliments riches en graisse et en sucre vous apportent de l'énergie, mais guère plus. Limitez-vous à une ou deux portions par jour.

Les graisses, composées de chaînes de différents acides gras, sont source d'énergie, de vitamines A, D, E et K et favorisent le bon fonctionnement du système nerveux central. Pour rester en bonne santé, la quantité de graisse consommée quotidiennement ne doit pas dépasser 35 % de votre apport

Hydratez-vous Par l'intermédiaire de votre sang, l'eau apporte à votre bébé des éléments nutritifs, elle prévient la constipation, exerce un effet diurétique et réduit les risques de cystite ou d'infection rénale, en évitant la déshydratation.

Variez votre alimentation Mangez des aliments aussi variés que possible pour bénéficier, ainsi que votre bébé, d'un mélange équilibré d'éléments nutritifs.

énergétique total, soit environ 70 g de graisse par jour. Les huiles d'olive et de pépins de raisin contiennent essentiellement des acides mono-insaturés. Les acides gras saturés se trouvent principalement dans les graisses animales, autrement dit la viande, le beurre, la crème et le lard ou leurs produits dérivés. Les acides gras polyinsaturés se divisent en deux groupes : les acides gras oméga 6 et oméga 3. L'organisme ne les fabriquant pas, ils sont apportés par les huiles provenant des végétaux et des poissons. Les huiles de tournesol, de sésame et de maïs contiennent de l'oméga 6, tandis que l'huile de poisson et de lin est riche en oméga 3.

Les sucres raffinés sont présents dans les pâtisseries, rafraîchissements, biscuits, desserts, confiseries et autres confitures. Source d'énergie, ils sont pauvres en vitamines et minéraux. Si vous avez envie de quelque chose de sucré, prenez plutôt un fruit, qui vous apportera également des fibres, des vitamines et des minéraux.

Liquides

L'eau n'est pas un nutriment. Pourtant, elle constitue une composante essentielle de notre alimentation et intervient dans nombre de processus biologiques. L'augmentation du volume sanguin pendant la grossesse requiert un apport supplémentaire de liquide, car votre bébé se nourrit des nutriments transportés par le sang. Efforcez-vous de boire au moins 2 litres par jour, soit environ 6 ou 7 verres. Buvez en priorité de l'eau (de tout type) et alternez avec du lait, des jus de fruits ou de légumes et des tisanes.

Les boissons gazeuses peuvent accentuer les problèmes digestifs et sont pauvres en nutriments. Le thé, le café et les boissons à base de cola contiennent de la caféine et ont un effet diurétique. Ne dépassez pas 3 ou 4 tasses par jour, soit environ 300 mg de caféine. (Voir également Réduire la caféine, pages 22-23.)

Modifier son régime alimentaire

Les repas étaient jusque-là le cadet de vos soucis ? Vous allez devoir modifier quelque peu vos habitudes alimentaires, maintenant que vous êtes enceinte.

En sautant un repas, vous risquez de perturber l'apport d'énergie et d'éléments nutritifs qui vous est nécessaire, ainsi qu'à votre bébé. Faites plutôt des repas légers, mais réguliers. Cela vous semblera peut-être difficile si vous souffrez de nausées matinales les premiers mois. Essayez différentes formules. Prenez par exemple un milk-shake plutôt que des céréales au petit déjeuner et deux plats légers plutôt qu'une assiette trop copieuse à midi.

Grignoter malin

La fatigue survient lorsque le taux de sucre dans le sang chute. Des petits en-cas vous aideront à retrouver le tonus. Emportez une barre de céréales, un gâteau maison (voir pages 134-139) ou un petit pain aux raisins. Préférez aux chips les amandes et autres fruits secs ou les petits toasts tartinés d'une préparation maison au fromage (voir pages 63-66). Choisissez vos boissons avec soin. Espressos et cappuccinos offrent une teneur particulièrement élevée en caféine. Un verre de lait tiède apportera davantage de calcium et de protéines à votre bébé.

Prendre des compléments nutritionnels

Il est conseillé à toutes les femmes de prendre quotidiennement un supplément de 400 µg d'acide folique dès lors qu'elles envisagent une grossesse, et ce jusqu'à la 12ᵉ semaine de gestation, afin de réduire le risque de malformations du tube neural (voir page 35).

Certaines femmes choisissent un complément prénatal composé de plusieurs vitamines et minéraux spécialement dosés pour les femmes enceintes. Ce type de complément est également indiqué dans les cas de grossesse inopinée survenant chez des femmes ayant eu une alimentation carencée, pour les grossesses multiples ou les futures mères adolescentes dont la croissance n'est pas terminée. Si vous souffrez de violentes nausées matinales et que vous gardez difficilement les aliments, il vous assure un apport régulier de vitamines et de minéraux.

Un complément de 10 µg de vitamine D est également recommandé à toutes les femmes enceintes dans certains pays, aux femmes végétariennes et à celles qui, pour des raisons culturelles, sortent totalement couvertes. L'apport quotidien de rétinol ne doit pas dépasser 3000 µg : vérifiez les étiquettes figurant sur les différents compléments, surtout s'ils sont à base d'huile de foie de poisson. N'hésitez pas à évoquer cette question avec votre médecin.

Probiotiques et prébiotiques

Nos intestins sont peuplés de bactéries « inoffensives » qui favorisent la décomposition des aliments et la libération des éléments nutritifs. Les probiotiques désignent les aliments et boissons à base de yaourt, les yaourts eux-mêmes et autres produits fermentés (babeurre, miso, etc.) contenant des bactéries vivantes qui préservent l'équilibre de la flore intestinale.

Les prébiotiques sont des substances non digestibles qui facilitent le développement des bactéries « inoffensives », empêchant l'apparition de « mauvaises » bactéries. Naturellement présentes dans les aliments d'origine végétale, elles peuvent aussi être ajoutées aux produits transformés, notamment sous forme de fructo-oligosaccharides.

Dans l'état de nos connaissances, il n'existe aucune raison de déconseiller la consommation de ces aliments pendant la grossesse.

Les vitamines et minéraux (ou micronutriments) ne sont nécessaires qu'en quantité infime. Ils n'en restent pas moins essentiels à votre santé et à celle de votre bébé. Le moment est venu de comprendre l'importance de chacun d'eux et de découvrir les aliments le mieux à même de satisfaire vos besoins.

Vitamines et minéraux essentiels

Une alimentation nutritive et équilibrée avant et pendant la grossesse suffit à couvrir vos besoins en vitamines et en minéraux, ainsi que ceux de votre enfant à naître.

En revanche, si vous avez suivi un régime alimentaire peu équilibré et hypocalorique avant votre grossesse, il est très important de bien vous alimenter pendant les neuf mois à venir afin de compenser tout déséquilibre préexistant. Rassurez-vous : la plupart des bébés naissent en bonne santé et vous pouvez parfaitement reconstituer vos réserves de vitamines et de minéraux en rééquilibrant votre alimentation dès l'annonce de votre grossesse.

Les principales vitamines

Les vitamines sont des substances chimiques essentielles au bon fonctionnement de notre corps. Le secret d'un apport vitaminique optimal consiste à manger quotidiennement des produits variés appartenant aux différents groupes d'aliments.

La vitamine A Elle est présente sous forme de rétinol dans les aliments d'origine animale et de carotène – principalement de bêta-carotène – dans les végétaux. Un complément de vitamine A est nécessaire au bon développement des cellules de votre bébé tout au long de la grossesse. Pendant les premiers mois, la vitamine A intervient dans la formation du cœur, du système circulatoire et du système nerveux. Dans les trois derniers mois, lorsque la prise de poids du bébé s'accélère, les besoins en vitamine A s'accentuent.

Un bon dosage de la vitamine A est très important, une déficience chronique ou un apport excessif de rétinol (à partir de 7 500 µg/jour) pouvant entraîner des malformations fœtales. C'est la raison pour laquelle le foie, particulièrement

riche en rétinol (voir page 20), est déconseillé aux femmes enceintes. Les compléments vitaminiques ou à base d'huile de poisson affichant un apport journalier de rétinol supérieur à 3 000 µg doivent également être évités.

Aliments riches en rétinol Œufs, beurre, fromage, rognons.
Aliments riches en bêta-carotène Fruits et légumes rouges, oranges et jaunes, tels que mangues, poivrons, carottes, patates douces, courges, et légumes à feuilles vert foncé, tels que cresson, épinards, brocolis et choux.

La vitamine B$_1$ (thiamine) Elle favorise la libération d'énergie provenant des aliments. En fin de grossesse, vos besoins énergétiques augmentent, et par là même vos besoins en vitamine B$_1$.

Aliments riches en vitamine B$_1$ Porc, petits pois, haricots secs, riz complet, extrait de levure et légumes à feuilles vertes.

Le point sur... *les substances phytochimiques*

Il ne s'agit ni de vitamines ni de minéraux, mais de composés biologiquement actifs présents dans tous les aliments d'origine végétale. Il en existe plusieurs centaines et leurs bienfaits restent largement méconnus. Nous savons toutefois que certains sont des antioxydants qui exercent des effets bénéfiques notables sur la santé de nos cellules. Une raison supplémentaire pour savourer toutes sortes de fruits, de légumes et autres aliments d'origine végétale.

PARMI LES PLUS RÉPANDUES : les flavonoïdes, l'isoflavone, les lignans et les phytœstrogènes.

Aliment vedette : les œufs Source de protéines, de rétinol, de vitamine D et d'iode, ils se préparent de mille et une façons.

Agrumes Tous les agrumes sont riches en vitamine C.

Choux-fleurs Comme tous les légumes verts à feuilles, le chou-fleur renferme une multitude de vitamines et de minéraux.

La vitamine B₂ (riboflavine) Tout comme la thiamine, la vitamine B_2 est nécessaire à la libération d'énergie. Il est conseillé d'augmenter légèrement l'apport en vitamine B_2 pendant la grossesse.

Aliments riches en vitamine B_2 Lait, laitages, extrait de levure, flocons de céréales enrichis en vitamines, pain complet, haricots et lentilles.

La vitamine B₃ (niacine) Cette vitamine est nécessaire à la production d'énergie. Pendant la grossesse, une alimentation équilibrée suffit à couvrir les besoins de votre organisme en vitamine B_3.

Aliments riches en vitamine B_3 Poissons, viandes, noix et noisettes et céréales.

La vitamine B₆ (pyridoxine) La prise prolongée de la pilule contraceptive entraînerait une diminution des réserves de vitamine B_6. Pendant une grossesse, il est donc conseillé de privilégier cette vitamine. Elle intervient dans le développement du système nerveux central et du cerveau de votre bébé.

Aliments riches en vitamine B_6 Pain complet, extrait de levure, poisson, bananes, pommes de terre, petits pois et cacahuètes.

La vitamine B₁₂ (cobalamines) Cette vitamine joue un rôle essentiel dans la formation des globules rouges et du matériel génétique de base de votre bébé. On la trouve principalement dans les aliments d'origine animale. Si vous êtes végétarienne, vous aurez peut-être besoin d'un complément vitaminique. Demandez l'avis de votre médecin.

Aliments riches en vitamine B_{12} Viandes, volailles, rognons, poissons et laitages.

Les folates et l'acide folique Ils appartiennent au groupe des vitamines B (l'acide folique étant la forme synthétique des folates). Pour en savoir plus, reportez-vous à la page 35.

Aliments riches en folates Flocons de céréales pour petit déjeuner enrichis en vitamines, pain, asperges, betteraves, haricots cornilles, brocolis, petits pois, choux précoces et choux de Bruxelles, épinards et oranges.

La vitamine C Les besoins en vitamine C augmentent pendant la grossesse car elle intervient dans la formation des nouveaux tissus. Elle favorise également l'absorption du fer. Selon certaines études, il existerait un lien entre la carence en vitamine C et les risques de pré-éclampsie (voir page 41). N'hésitez pas à absorber de grandes quantités de vitamine C tout au long de votre grossesse.

Aliments riches en vitamine C Fraises, agrumes, papayes, canneberges, cassis, kiwis, poivrons, tomates, brocolis, épinards, choux frisés, choux de Bruxelles, pommes de terre, cresson et choux-fleurs.

Vitamines et minéraux essentiels

Les tableaux ci-contre indiquent les apports journaliers recommandés pendant le temps de la grossesse. Ils prennent pour référence une femme ayant une alimentation variée et disposant de réserves de vitamines et de minéraux suffisantes au début de sa grossesse. De même, ils partent du principe que les adaptations physiologiques, telles que l'augmentation de l'activité hormonale et la diminution des pertes de nutriments, sont à même de couvrir tout accroissement des besoins.

Les chiffres en italique indiquent qu'aucun apport complémentaire n'est nécessaire.

µg = microgrammes

mg = milligrammes

Nutriment : *vitamines*	Apport journalier recommandé (AJR) en France
vitamine A	700 µg
vitamine B$_1$ (thiamine)	0,8 mg, puis 0,9 mg pendant le dernier trimestre
vitamine B$_2$ (riboflavine)	1,4 mg
vitamine B$_3$ (niacine)	12 mg
vitamine B$_6$ (pyridoxine)	1,2 mg
vitamine B$_{12}$ (cobalamines)	1,5 µg
folates (et acide folique)	400 µg, puis 300 µg après les 12 premières semaines
vitamine C	50 mg
vitamine D	10 µg
vitamine E (µg)	aucune recommandation officielle
vitamine K (µg)	aucune recommandation officielle

Pain aux graines de tournesol, de citrouille et de pavot (voir page 139) Ce pain, qui contient des vitamines B et E, des folates et du magnésium, est aussi très énergétique.

Céréales pour petit déjeuner enrichies en vitamines et en minéraux et abricots secs Un bon petit déjeuner vous apporte de l'énergie pour toute la journée ainsi que des vitamines et des minéraux essentiels. Agrémentez-les de fruits séchés pour un complément nutritionnel.

Aliment vedette : l'avocat Dans vos sandwichs, vos salades ou bien à tartiner, pour faire le plein de vitamine E et d'énergie.

La vitamine D Elle est indispensable à la fixation du calcium par l'organisme et au développement des os et des dents du fœtus. Fabriquée par la lumière solaire, elle n'est présente que dans quelques aliments. Dans certains pays comme la France, en raison des variations saisonnières d'ensoleillement, un apport journalier supplémentaire de 10 µg est recommandé aux femmes enceintes, particulièrement si elles sont végétariennes ou portent des vêtements couvrant totalement le corps. *Aliments riches en vitamine D Poissons gras, jaune d'œuf, lait, beurre, margarine, pâtes à tartiner et céréales pour petit déjeuner enrichies en vitamine D.*

La vitamine E (tocophérol) Tout comme la vitamine C, la vitamine E est un antioxydant qui protège les cellules contre le vieillissement. Selon certaines hypothèses, une carence en vitamine E multiplierait les risques de pré-éclampsie. *Aliments riches en vitamine E Avocats, graines, noix, noisettes, etc., huiles végétales, germes de blé et pain complet.*

La vitamine K Elle est nécessaire à la coagulation. On en donne aux nouveau-nés pour éviter les hémorragies. Un lien a été établi entre les carences graves en vitamine K pendant la grossesse et les malformations dentaires chez les bébés. *Aliments riches en vitamine K Légumes verts, tels que brocolis, choux et épinards.*

Les principaux minéraux

Essentiels à plus d'un titre pour l'organisme, les minéraux remplissent des fonctions structurelles importantes et sont un composant majeur des enzymes corporels.

Le calcium Indispensable à la formation des os et des dents, le calcium intervient en outre dans le développement nerveux et musculaire. À la naissance, les bébés ont déjà accumulé 30 g de calcium dans leurs os. Pour couvrir ces besoins accrus pendant la grossesse, votre organisme absorbe mieux le calcium contenu dans les aliments et les pertes dans les urines diminuent.

Pour les femmes en bonne santé, aucun apport supplémentaire n'est recommandé pendant la grossesse, exception faite des adolescentes ou des femmes qui ne mangent pas quotidiennement des produits laitiers.

La vitamine D joue un rôle majeur dans le processus d'absorption du calcium et une carence de l'un ou l'autre de ces nutriments peut entraîner une diminution du calcium circulant. Les femmes dont l'alimentation est pauvre en aliments apportant du calcium peuvent également envisager un complément de vitamine D. *Aliments riches en calcium Tofu, amandes, tahini, légumes verts à feuilles, haricots secs, lentilles, petits pois et figues sèches, laitages, poissons gras dont les arêtes sont comestibles, pain blanc et céréales pour petit déjeuner enrichies en calcium.*

Nutriment : *minéraux*	Apport journalier recommandé (AJR) en France
Calcium	700 mg
Cuivre	1,2 mg
Iode	140 µg
Fer	14,8 mg
Magnésium	270 mg
Sélénium	60 µg
Zinc	7 mg

Le cuivre Il contribue à la consolidation des os.
Aliments riches en cuivre Abricots secs, viande, noix, noisettes, etc., riz, pâtes complètes et céréales pour petit déjeuner.

L'iode Il joue un rôle important dans le bon fonctionnement de la glande thyroïde qui régule notre métabolisme. L'iode traverse le placenta et agit sur la thyroïde de votre bébé. Un apport insuffisant peut compromettre le bon développement cérébral du fœtus. En revanche, un excès d'iode entraîne des effets toxiques.
Aliments riches en iode Poissons et fruits de mer, algues, œufs et lait.

Le fer Le fer est essentiel à la formation des cellules sanguines. Une carence en début de grossesse peut prédisposer la femme enceinte à une anémie. Parmi les personnes à risque, citons les adolescentes, les femmes dont les règles sont abondantes ou ayant eu plusieurs grossesses rapprochées et celles dont le régime alimentaire compte un nombre limité d'aliments riches en fer. Dans certains cas, un complément à base de fer peut être prescrit (voir page 43).

Des études montrent qu'au fur et à mesure de la grossesse, l'organisme absorbe le fer contenu dans les aliments avec une efficacité accrue. À ce phénomène s'ajoute l'absence de perte de sang mensuelle. Ainsi, pour les femmes en bonne santé, aucun apport supplémentaire de fer n'est recommandé pendant la grossesse.
Aliments riches en fer d'origine animale Viande rouge, rognons, cœur, poulet et dinde (surtout les chairs sombres), sardines et maquereaux en conserves, beurres de poisson.
Aliments riches en fer d'origine végétale Céréales pour petit déjeuner enrichies en minéraux, œufs, pain, haricots rouges et blancs, fruits séchés, choux-fleurs, champignons, légumes verts tels que choux précoces, brocolis et épinards.

Le magnésium Impliqué dans diverses fonctions telles que le développement des os et du matériel génétique (ADN), la transmission nerveuse et les réactions cellulaires de base, le magnésium est stocké dans les os. Une alimentation durablement pauvre en magnésium peut entraîner des carences.
Aliments riches en magnésium Toutes sortes de graines (courge, melon, tournesol, etc.), lait, pain, pommes de terre et légumes verts à feuilles.

Le sélénium Antioxydant, le sélénium joue essentiellement un rôle de protecteur des cellules et doit être présent dans votre alimentation avant et pendant la grossesse. En effet, un lien a été établi entre une carence en sélénium et le risque de fausse couche.
Aliments riches en sélénium Noix du Brésil, viande rouge, poisson et céréales.

Le zinc Il est nécessaire au développement du système immunitaire et des os. Les femmes qui prennent un complément de fer pendant la grossesse risquent tout particulièrement une carence en zinc, car le fer empêche la bonne absorption du zinc. Elles devront donc privilégier les aliments riches en zinc.
Aliments riches en zinc viande rouge, céréales complètes et fruits de mer.

Vitamines et minéraux essentiels

Il est important de bien manger pendant la grossesse. Ne vous jetez pas pour autant sur les gâteaux au chocolat ! La meilleure façon de couvrir vos besoins consiste à suivre une alimentation saine et équilibrée, qui vous apportera, ainsi qu'à votre bébé, tous les nutriments nécessaires.

Une prise de poids salutaire

Combien de kilos prendre et quels aliments privilégier pour disposer d'un apport énergétique supplémentaire ? Ces questions préoccupent la plupart des femmes enceintes : comment être sûre de manger suffisamment sans pour autant accumuler les kilos superflus qui demanderont des mois d'efforts pour retrouver sa silhouette ?

Les grandes lignes

L'importance accordée à la prise de poids pendant la grossesse varie énormément selon les pays. Au Royaume-Uni, par exemple, passée la première visite, il est rare que l'on pèse les femmes enceintes. Aux États-Unis, en revanche, les visites prénatales mettent l'accent sur le contrôle de la prise de poids. Bien que les chiffres diffèrent sensiblement d'une femme à l'autre, on considère une prise de poids totale d'au moins 12,5 kg comme normale.

En cas de surcharge pondérale antérieure à la grossesse, limitez au maximum votre prise de poids jusqu'aux trois derniers mois. Mais ne cherchez surtout pas à perdre du

Pour qui sont ces kilos ?

Votre bébé	3-3,5 kg
Le placenta	0,7 kg
Le liquide amniotique	0,7 kg
Le développement des seins et de l'utérus	1,3 kg
Le sang et autres liquides corporels	3 kg
Les réserves de graisse pour l'allaitement	3,5 kg

poids pendant votre grossesse, sous peine de compromettre la bonne croissance de votre bébé. En limitant votre prise de poids initiale, vous réduirez les risques pour votre santé, notamment de diabète gestationnel, d'hypertension ou de complications lors de l'accouchement.

En cas de déficit pondéral avant la grossesse, vous devez bien vous alimenter, surtout dans les trois premiers mois. Les femmes trop soucieuses de leur ligne ont parfois du mal à accepter leur nouveau corps et continuent leur régime strict ou, inversement, perdent tout contrôle et se laissent totalement aller. Dans un cas comme dans l'autre, cela ne va pas sans risque pour la santé de la mère et de l'enfant.

Il semble qu'un bon poids de naissance ait des avantages à court et à long terme pour votre bébé, diminuant les risques de handicap physique ou mental et d'apparition de maladies dans la petite enfance.

Nombre de femmes se demandent si elles réussiront à retrouver leur silhouette après l'accouchement. Le surplus de graisse stocké par l'organisme se révèle parfois difficile à éliminer. Plutôt que de vous lancer dans un régime dès les premières semaines qui suivent la naissance, envisagez une perte de poids progressive, pour des résultats durables. Vous trouverez quelques conseils page 53.

Comment satisfaire ses besoins énergétiques ?

Faire un bébé demande beaucoup d'énergie. Néanmoins, pour la plupart des femmes qui commencent leur grossesse avec un poids normal ou en léger surpoids, une augmentation de l'apport calorique n'est vraiment nécessaire que dans les trois derniers mois, pendant lesquels il convient d'absorber quelque 200 calories supplémentaires par jour. Les

Une bombe énergétique Gorgées de sucres naturels, de potassium et de vitamines B, les bananes vous donneront un coup de fouet instantané.

Votre corps change Regardez votre bébé grandir.

Faciles à préparer et nutritifs Les aliments à base d'hydrates de carbone, comme les pâtes, les pommes de terre ou le riz, vous aident à satisfaire vos besoins énergétiques et ceux de votre bébé.

adolescentes, les femmes ayant une grossesse multiple ou un déficit pondéral en début de grossesse devront renforcer leur apport calorique pendant la grossesse. Demandez conseil à votre médecin.

Pendant l'allaitement, les besoins énergétiques sont encore accrus. Les besoins caloriques supplémentaires, par rapport à une alimentation normale, se situent autour de 450 calories le premier mois, ils dépassent les 500 calories au cours du deuxième mois et avoisinent les 600 calories pendant le troisième mois.

La meilleure façon d'absorber ce supplément calorique consiste à manger des aliments riches en hydrates de carbone, comme le pain, les graines, les céréales, les pâtes ou les pommes de terre, qui garantissent un apport énergétique régulier à votre bébé. Les aliments riches en graisse et en sucre, tels que les confiseries et les pâtisseries, ne sont guère conseillés : outre un apport énergétique moins efficace, ils contiennent peu de vitamines et de minéraux.

En attendant des jumeaux… ou plus

Les recherches tendent à montrer que les femmes portant des jumeaux ou des triplés doivent augmenter leur apport calorique tout au long de la grossesse. Une prise de poids judicieuse pendant les 20 premières semaines peut ainsi améliorer le poids des bébés à la naissance.

Aux États-Unis, l'*Institute of Medicine* recommande aux femmes qui attendent des jumeaux une prise de poids totale de 16 à 20 kg, dont 2,5 kg environ pendant les trois premiers mois, puis 700 g par semaine dans les mois suivants. Pour les femmes enceintes de triplés, cette prise totale de poids sera de l'ordre de 23 kg, soit 700 g par semaine tout au long de la grossesse.

En cas de grossesse multiple, les besoins ne sont pas uniquement caloriques. Pour faire face à l'augmentation du volume sanguin et de la taille de l'utérus et assurer le bon développement de deux bébés ou plus, l'organisme nécessite davantage d'acides gras essentiels, de calcium et de fer. Il est conseillé de prendre un supplément nutritionnel pendant toute la grossesse (voir page 13), de manger toutes sortes d'aliments riches en nutriments et de réduire drastiquement l'absorption d'aliments à faible valeur nutritionnelle.

De nos jours, difficile d'ouvrir un journal sans découvrir quelque titre annonçant un nouveau risque alimentaire. Avec un certain nombre de connaissances préalables et un peu de bon sens, vous éviterez facilement les aliments pouvant présenter un danger et saurez privilégier les produits essentiels.

Bien choisir ses aliments

La sécurité des aliments revêt une importance particulière pendant la grossesse, période de plus grande vulnérabilité aux maladies pour vous, mais aussi pour votre enfant. Pour éviter tout risque inutile, il vous suffit de rester vigilante et d'éviter quelques aliments.

La salmonellose Une intoxication par les salmonelles ne mettra pas en danger votre bébé. Vous seule en subirez les conséquences, fort désagréables. Ce risque est plus élevé en cas d'ingestion d'œufs crus ou insuffisamment cuits. Veillez à bien faire cuire le jaune. Et si vous mangez à l'extérieur, demandez s'il s'agit de glaces ou de mayonnaise maison, préparées à base d'œuf cru. La mayonnaise achetée dans le commerce est généralement pasteurisée et ne présente aucun danger.

La listériose Cette infection causée par les listeria monocytogènes qui se développent dans les aliments n'entraîne pas les diarrhées ou les vomissements

RÈGLE DE PRUDENCE... Foie et produits à base de foie

On a constaté au Royaume-Uni un taux très élevé de vitamine A dans le foie, présente sous forme de rétinol, un nutriment essentiel (voir page 14) mais qui, en excès, peut entraîner des malformations du fœtus. C'est la raison pour laquelle il est conseillé aux femmes qui désirent une grossesse ou attendent un enfant d'éviter de consommer tous les produits à base de foie et de les remplacer par d'autres aliments riches en fer.

généralement associés aux intoxications alimentaires. Ses symptômes rappellent ceux de la grippe. Elle peut entraîner une infection chez le nouveau-né – méningite notamment –, une fausse couche ou une mort à la naissance. Le risque de salmonellose reste minime et son incidence a diminué dans nos pays. Cependant, protégez-vous en évitant :
◆ Les fromages à croûte fleurie, tels que le brie ou le camembert, et tous les fromages bleus, même pasteurisés.
◆ Certains pâtés, qu'ils soient végétaux, à base de poisson ou de viande : ils peuvent être porteurs de listeria s'ils n'ont pas été cuits à une température suffisamment élevée. Achetez de préférence des pâtés en boîte ayant subi un traitement U.H.T. ou préparez-les vous-même (voir page 63).
◆ Attention aux plats cuisinés ! Respectez leurs conditions de conservation et faites-les suffisamment réchauffer.

La toxoplasmose Elle peut entraîner des lésions cérébrales et la cécité de votre enfant. On la doit à un parasite présent dans certaines viandes crues et dans les déjections animales. Mangez la viande bien cuite et évitez les préparations de viande crue, comme le steak tartare ou le jambon cru. Pensez à vous laver les mains après avoir touché de la viande crue.
   Ce parasite se retrouve également dans la terre et les déjections animales. Lavez soigneusement tous les produits maraîchers, mettez des gants pour jardiner et lavez-vous les mains après avoir touché des animaux ou nettoyé leur litière.

Réduire sa consommation de sel
Par le passé, on conseillait aux femmes enceintes de limiter leur consommation de sel. On pensait en effet que le sel en trop grande quantité favorisait la pré-éclampsie. Aujourd'hui,

Préparer les aliments avec soin Pensez à bien laver les fruits et légumes avant de les manger, afin d'éliminer toute trace de terre, d'engrais ou de pesticide.

Vivez au rythme des saisons Profitez de la diversité des fruits frais de saison. Sachez toutefois qu'en boîte, séchés ou surgelés, ils restent riches en vitamines et en minéraux.

les opinions sur la question sont plus nuancées, car le sel joue un rôle essentiel dans la régulation des liquides physiologiques. En règle générale, il n'est pas nécessaire de réduire votre consommation de sel si vous suivez une alimentation équilibrée et n'abusez pas des plats tout préparés ou autres produits particulièrement salés.

Poissons et fruits de mer : y a-t-il un risque ?

Les poissons et les fruits de mer présentent une haute valeur nutritionnelle. Ils doivent donc faire partie de votre alimentation. Les poissons gras constituent la principale source d'acides gras oméga 3, essentiels au bon développement du cerveau et des yeux de votre bébé. Les inquiétudes soulevées concernent la présence éventuelle de polluants comme le mercure, les biphényles polychlorés (BPC) ou la dioxine. Ainsi, aux États-Unis, on conseille aux femmes enceintes d'éviter certains poissons. Cependant, l'Organisation mondiale de la santé, dont les recommandations font référence dans nombre de pays, ne donne aucune indication particulière en la matière.

Pour profiter pleinement des bienfaits du poisson et des fruits de mer, choisissez-les avec un peu plus de soin qu'auparavant, en essayant de varier votre consommation. Les petits poissons offrent moins de risque de concentration de résidus toxiques que les gros se nourrissant d'autres poissons et de fruits de mer, tels l'espadon, le thon, le requin ou le maquereau bonite. Évitez de consommer ces derniers plus d'une fois par mois et ne mangez aucun poisson cru.

Réduire sa consommation d'alcool

De très nombreuses femmes suppriment totalement l'alcool pendant leur grossesse. Toutefois, un verre de vin pour accompagner un repas, une ou deux fois par semaine, ne semble avoir aucun effet préjudiciable. En revanche, une ingestion régulière d'alcool (plus d'une ou deux doses par jour) ou une consommation occasionnelle excessive multiplient les risques de fausse couche et de stérilité pour la mère et limitent le poids de naissance du bébé. L'alcool réduit également l'apport de nutriments pour le fœtus, car il coupe l'appétit et interfère avec le bon fonctionnement du placenta. L'abus d'alcool peut entraîner un retard mental ainsi que des malformations physiologiques chez le bébé.

Au vu de ces risques, certains professionnels de la santé conseillent un arrêt total de l'ingestion d'alcool pendant la grossesse. Les opinions restent néanmoins partagées. Une ou deux doses d'alcool par semaine ne semblent pas porter à conséquence. Une dose correspond à un petit verre de vin (125 ml), un demi de bière (25 ml) ou une mesure d'alcool fort (apéritifs et digestifs, 25 ml). Attention : les verres à vin utilisés à la maison sont généralement plus grands que ceux des bars et des restaurants !

N'oubliez pas qu'après la naissance, l'alcool passe dans le lait maternel. Attendez la fin de l'allaitement pour les réjouissances et, dans tous les cas, limitez-vous à un verre occasionnel.

Un choix sain Pensez aux tisanes : rafraîchissantes et sans caféine.

Produits frais Ne dépassez jamais la date limite de consommation et maintenez une température inférieure à 5°C dans votre réfrigérateur.

Réduire sa consommation de caféine

Le café fait également partie des boissons auxquelles renoncent nombre de femmes enceintes, sans doute avec raison. L'excès de caféine multiplie les risques de fausses couches et d'infécondité. Mieux vaut ne pas dépasser 300 mg de caféine par jour. Comptez 75 mg de caféine par tasse de café soluble, 85 mg pour du café en grains, 3 mg pour un décaféiné, 40 mg pour une tasse de thé, 24 mg pour un verre de boisson au cola et 5 mg pour un chocolat chaud.

La caféine et les tanins présents dans le thé et le café peuvent limiter l'absorption des minéraux contenus dans les aliments. Buvez-les plutôt loin des repas.

De ce point de vue, les boissons sans caféine sont inoffensives. Essayez aussi les tisanes. Rafraîchissantes, elles possèdent de nombreuses vertus. Ainsi, la camomille prépare au sommeil et la menthe facilite la digestion. Consommée pendant les trois derniers mois de grossesse, la tisane de feuilles de framboisiers faciliterait le travail lors de l'accouchement et tonifierait l'utérus. Attention toutefois à ne pas en consommer plus tôt, car il semble qu'elle favorise les fausses couches.

Noix, noisettes et graines : y a-t-il un risque ?

S'il existe dans votre entourage des antécédents de maladies atopiques, qu'il s'agisse d'asthme, d'eczéma, d'allergies alimentaires ou de rhume des foins, supprimez les cacahuètes et les produits à base d'arachide pendant toute la grossesse et la période d'allaitement. Certains pays enregistrent une recrudescence des allergies aux graines de sésame. Il est donc préférable de les éviter. D'ailleurs, il est conseillé d'exclure les cacahuètes et les graines de sésame de l'alimentation de votre enfant jusqu'à l'âge de 3 ans. Les autres types de noix, noisettes et fruits secs sont considérés comme inoffensifs durant la grossesse. Profitez de leur richesse en minéraux, en vitamines et en huiles.

Bien acheter

Sachant désormais quels sont les produits à éviter, faites vos courses en cherchant à optimiser vos apports nutritionnels. Choisissez de préférence des produits de saison ayant bel aspect (évitez les fruits et légumes abîmés, mâchés ou flétris). Concernant la viande (rouge ou blanche) et le poisson, achetez plutôt des morceaux charnus, de première fraîcheur. Vérifiez les dates limites de vente et de consommation sur les étiquettes et ne consommez aucun produit périmé.

Mettez les produits frais au réfrigérateur le plus vite possible afin de préserver leur valeur nutritive et de limiter les risques d'intoxication.

Oui ou non aux produits « bio » ?

Le débat reste ouvert quant aux effets bénéfiques des produits biologiques sur la santé. Du point de vue nutritionnel, ils ne contiennent pas plus de vitamines ni de minéraux que les produits standard. Cependant, certains les considèrent comme plus sûrs dans la mesure où ils limitent le risque d'absorption de pesticides et autres résidus d'engrais.

L'utilisation de pesticides fait aujourd'hui l'objet de contrôles stricts et les risques liés aux aliments issus de l'agriculture conventionnelle restent limités. Toutefois, le fait de manger des produits non biologiques viendrait simplement se surajouter à d'autres facteurs préjudiciables pour la santé, comme la pollution ou la consommation de tabac ou de drogue, par exemple. La consommation de produits bio réduirait ce risque.

La décision de consommer ou non des produits biologiques pendant votre grossesse n'appartient qu'à vous. Il n'existe aucune raison de ne pas en manger. Le jour où ils pourront être cultivés et achetés par tous, nul doute qu'ils seront recommandés par les grandes organisations compétentes en matière de santé.

Préparation et cuisson : préserver la valeur nutritive

Voici quelques conseils pour limiter la perte de vitamines solubles dans l'eau – vitamine C et vitamines B.

Si vous attendez votre deuxième enfant, vous n'aurez peut-être pas le courage de concocter des repas différents pour chaque membre de la famille. Avec un peu de prévoyance et d'organisation, vous pourrez préparer des plats qui feront la joie de tous.

La vie continue...

Nourrir toute la famille

Jouez la carte de la nouveauté Dès un an, vos enfants peuvent manger de petites portions de tout ce que vous mangez vous-même. Les recettes de ce livre ont été imaginées pour toute la famille.

Attention au sel N'ajoutez pas de sel dans l'alimentation des bébés ou des jeunes enfants. Vous salerez votre assiette une fois qu'ils seront servis.

Misez sur les saveurs La nourriture des enfants n'a aucune raison d'être fade. Utilisez des herbes, du citron, de l'ail et des épices dans vos recettes. Évitez toutefois le piment et les épices pour les bébés.

Besoins en énergie Les jeunes enfants ont besoin de davantage de graisse que les adultes pour couvrir leurs besoins énergétiques. Ne leur donnez pas de lait écrémé ou d'aliments à faible teneur calorique.

◆ Conservez les fruits et légumes dans un endroit frais et consommez-les sans attendre. Si vous ne faites pas les courses régulièrement, les légumes surgelés pourront très bien remplacer les légumes frais.

◆ Coupez ou râpez les légumes et les fruits en gros morceaux afin de limiter la perte de vitamines en surface.

◆ Si vous ne les mangez pas immédiatement, arrosez les fruits coupés de jus de citron pour conserver leur vitamine C.

◆ Évitez de préparer les fruits et légumes à l'avance, et une fois cuits, mangez-les sans attendre. Réchauffés, ils perdent la plupart de leurs vitamines.

◆ Les nutriments se concentrent souvent sous la peau. Lavez soigneusement les fruits et légumes pour éliminer tout résidu terreux et mangez-les avec la peau. En revanche, épluchez les carottes, car les résidus de pesticides se trouvent surtout sous la peau.

◆ La rapidité de la cuisson à la vapeur ou au micro-ondes limite la perte de vitamines.

◆ Les vitamines se dissolvent dans l'eau de cuisson. N'utilisez que la quantité nécessaire pour couvrir les légumes.

Hygiène alimentaire

Cette question ne doit pas vous tourmenter outre mesure pendant votre grossesse. En achetant vos produits avec soin, en les stockant à la bonne température et en les cuisinant correctement, vous ne courez aucun risque particulier.

◆ Mettez dès que possible vos achats au réfrigérateur en évitant de les laisser au bureau ou dans votre voiture.

◆ Vérifiez que la température est bien inférieure à 5°C dans la partie la plus froide du réfrigérateur. Placez-y les produits les plus fragiles (viandes cuites, fromages frais, salade prélavée, desserts et plats cuisinés) et utilisez un thermomètre pour contrôler régulièrement la température. Réservez le bac à légumes, partie la moins froide, aux fruits et légumes non préparés.

◆ Assurez-vous que la viande ou le poisson crus ne coulent pas sur d'autres aliments. Enveloppez-les hermétiquement et stockez-les dans la partie la plus froide.

◆ Conservez les œufs au réfrigérateur.

◆ Laissez refroidir les plats chauds avant de les mettre au frais et décongelez les produits surgelés dans le réfrigérateur.

◆ Ne conservez aucun aliment au-delà de sa date limite de consommation.

◆ Faites cuire la viande jusqu'à ce que le jus soit bien clair ou que sa température interne atteigne 70°C.

◆ Lavez-vous les mains à l'eau et au savon avant de manipuler des aliments et ne vous essuyez pas les mains au torchon à vaisselle.

◆ Utilisez une planche à découper pour la viande et le poisson crus, une autre pour les aliments cuits.

◆ Javellisez et désinfectez régulièrement les éponges, torchons et surfaces de travail de votre cuisine.

Les envies et les aversions subites sont un phénomène bien connu associé à la grossesse. Si vous décidez de supprimer certains aliments, par manque d'appétit ou pour des raisons d'allergie, voici quelques conseils qui vous aideront à préserver votre équilibre alimentaire.

Grossesse et santé

Certaines femmes se sentent en pleine forme tout au long de leur grossesse, d'autres en subissent tous les désagréments. Les problèmes de santé préexistants peuvent avoir des conséquences sur la grossesse. Le Programme diététique que nous vous proposons (voir pages 32-53) apporte des solutions aux symptômes pouvant apparaître au fur et à mesure de votre grossesse, comme les nausées ou la dyspepsie. Nous entendons ici faire le point sur quelques questions précises.

Éprouvez-vous des envies, des répulsions ?

Les changements subits de notre rapport aux aliments seraient dus aux bouleversements hormonaux qui marquent la grossesse. Il arrive d'ailleurs que l'apparition d'aversions subites soit le premier signe annonciateur d'une grossesse. Beaucoup de femmes renoncent à certains aliments, par ailleurs déconseillés en grande quantité pendant la gestation, comme le café, le thé ou l'alcool. Cependant, si vous êtes prise d'une aversion pour un aliment dont vous savez qu'il offre une source de nutriments importante, remplacez-le par un autre de même valeur nutritionnelle (voir pages 11-12).

À l'inverse, on considérait autrefois les envies comme l'expression d'un besoin nutritionnel de l'organisme. C'est peut-être le cas pour certains aliments suscitant des envies chez beaucoup de femmes, comme les brocolis, le lait ou les pamplemousses. Mais il arrive aussi que ces envies n'aient rien d'alimentaire et concernent la terre ou le charbon, par exemple. Pour satisfaire certains besoins en nutriments ? Peut-être, mais pour l'heure, rien ne vient confirmer cette hypothèse. Sur le plan diététique, les envies d'aliments à faible valeur nutritive, comme le chocolat ou les gâteaux,

ne se justifient guère. Si vous êtes incapable de résister et que, par ailleurs, vous vous alimentez de façon saine, autorisez-vous une petite portion, sans vous laisser aller ni remplacer pour autant d'autres aliments plus nutritifs.

Souffrez-vous de troubles alimentaires ?

Si vous souffrez d'anorexie ou de boulimie, il est particulièrement important de prendre l'avis d'un médecin, car ces troubles peuvent rendre plus difficile la conception. Pendant la grossesse, les vomissements ou les crises de boulimie peuvent provoquer des variations néfastes du taux de glucose dans le sang et priver votre bébé d'un apport énergétique et nutritionnel constant. En outre, les troubles alimentaires préexistants et concomitants à la grossesse favoriseraient la dépression postnatale.

RÈGLE DE PRUDENCE... Faites de l'exercice

L'alimentation n'est pas le seul secret pour bien vivre sa grossesse. Il est également important de faire un peu d'exercice. À cet égard, la marche et la natation sont recommandées pendant toute la grossesse. Une pratique régulière vous aidera à garder la forme. Si vous choisissez une activité plus soutenue, comme des cours de gymnastique, par exemple, signalez au professeur que vous êtes enceinte et n'oubliez pas d'emporter un en-cas et une boisson pour reprendre des forces après l'effort.

En cas d'intolérance au lactose interdisant l'absorption de produits laitiers, privilégiez les aliments enrichis en calcium, comme le lait de soja et certains jus de fruits, et mangez des poissons en conserve (avec leurs arêtes), du pain blanc, des légumes à feuilles vert sombre, des amandes, du tofu, des haricots, des lentilles, des petits pois et des figues sèches. Le lait et les laitages constituant également une source de vitamines A, D, B et B_1, de magnésium, d'iode et de zinc, choisissez des aliments de substitution en vous aidant des conseils des pages 14 à 17.

Si vous souffrez d'une affection atopique – rhume des foins, eczéma, asthme provoqué par une allergie alimentaire –, suivez notre conseil concernant les cacahuètes et les graines de sésame (page 22). Toutefois, rien ne prouve qu'il soit préférable d'éviter les autres aliments traditionnellement allergènes comme le poisson, les fruits de mer, les oranges, le soja, les œufs, le lait ou le blé, car ils contiennent des nutriments essentiels à votre organisme et à celui de votre bébé. Pendant l'allaitement, les femmes fortement atopiques réduiront le risque d'apparition d'allergies alimentaires chez leur bébé en évitant les aliments allergènes, selon les conseils d'un médecin nutritionniste.

Êtes-vous diabétique ?

Les femmes diabétiques doivent prendre certaines précautions pendant la grossesse. Demandez conseil à votre médecin avant même la grossesse. Et surtout, continuez à contrôler de façon stricte votre taux de glucose, comme à l'accoutumée.

Supprimer certains aliments

Si vous n'aimez vraiment pas les légumes ou tout autre type d'aliments, pensez à les remplacer par un autre produit de même valeur nutritive. Choisissez vos aliments avec soin en vous reportant au chapitre consacré aux vitamines et aux minéraux essentiels (pages 14-17) ou prenez conseil auprès d'un diététicien.

Vous êtes déjà enceinte ? Sachez qu'il n'est jamais trop tard pour envisager des changements positifs. Pour votre bien et celui de votre bébé, allez consulter un professionnel de la santé. Il vous aidera à accepter les transformations de votre corps et à envisager un régime alimentaire adapté à votre grossesse.

Souffrez-vous d'une allergie ou d'une intolérance alimentaires ?

Pendant la grossesse, les femmes atteintes de maladie cœliaque, qui ne peuvent manger ni blé, ni seigle, ni orge, doivent continuer à suivre très scrupuleusement une alimentation sans gluten afin de favoriser l'absorption de vitamines et de minéraux. Si vous avez commis quelques écarts, il serait peut-être judicieux de prendre un complément nutritionnel prénatal ou du moins un complément d'acide folique, de vitamine D et de fer, et de consommer des aliments riches en calcium, comme les produits laitiers.

Vous êtes végétarienne ? Rien ne vous empêche de continuer à suivre un régime végétarien, en tenant compte des besoins nutritionnels propres à la grossesse et en choisissant judicieusement les aliments et compléments susceptibles de les satisfaire.

Régime végétarien

Planifiez avec soin vos menus afin d'absorber les calories et les nutriments qui permettront à votre bébé d'atteindre un poids normal. Diversifiez autant que possible votre alimentation et, si besoin, prenez les compléments nutritionnels adaptés. Ceci est d'autant plus important si vous êtes végétalienne ou particulièrement mince. Surveillez notamment vos apports de protéines, de fer, de calcium, de vitamines D et B_{12} et de zinc. Afin de vous y aider, nous avons mentionné les principaux nutriments présents dans chaque recette.

Les protéines
Outre des produits laitiers, des œufs et du fromage, mangez des légumes secs (haricots, pois et lentilles) associés à des graines. Les protéines végétales (à l'exception du soja) sont moins riches en acides aminés essentiels que les protéines

---

Le point sur... *le fer*

Pendant la grossesse, notre volume sanguin augmente de près de 1,7 litre. Le fer constitue l'un des composants essentiels des globules rouges. De nombreuses femmes enceintes, végétariennes ou non, prennent un complément en fer. Essayez de consommer quotidiennement des aliments riches en fer (voir liste ci-dessous). Pour mieux fixer le fer, mangez des aliments riches en vitamine C et évitez de boire du thé ou du café pendant les repas.

Lentilles, haricots, flocons de céréales enrichis en vitamines et en minéraux, œufs, légumes à feuilles vert sombre, pain complet, tofu et fruits secs.

---

animales. En diversifiant vos apports de protéines végétales, vous couvrirez l'ensemble de vos besoins. Ces aliments sont également riches en vitamines B, en fer et en fibres. Ils doivent donc constituer la base de votre alimentation quotidienne.

Mangez des noix et des noisettes, des graines de tournesol, de citrouille et de soja ou des produits dérivés, comme le tofu.

Le calcium et la vitamine D
Pendant la grossesse, l'organisme absorbe davantage de calcium contenu dans les aliments. Pensez à boire un grand verre (300 ml) de lait par jour et mangez des yaourts, du fromage blanc et du fromage. Si vous êtes végétalienne, privilégiez le pain blanc, le tofu, les pois chiches et les boissons au soja.

La vitamine D permet de fixer le calcium. Vous devez donc manger des aliments riches en vitamine D. L'absorption de vitamine D, principalement présente dans les huiles de poisson, le beurre et la margarine, peut poser problème aux végétariennes. Sachez que la lumière solaire produit également de la vitamine D lorsque la peau y est exposée. Toutefois, si vous devez, pour quelque raison que ce soit, limiter vos expositions au soleil, prenez un complément de 10 µg de vitamine D par jour.

Crème de poivrons rouges grillés (voir page 65) L'une des nombreuses recettes qui plairont aux végétariennes.

Mener une vie saine Prévoir ses repas lorsqu'on est végétarienne : la meilleure façon de préserver son équilibre alimentaire.

Les incontournables Pain, graines de soja et tofu : de précieux aliments qui s'accommodent de mille et une façons.

Des en-cas riches en nutriments

Oubliez la monotonie ! Pour faire le plein de vitamines et de minéraux, consommez tous les jours un peu de...

Noix et noisettes : idéales contre les petits coups de barre. Pensez aux noix de cajou, riches en fer, et aux amandes, riches en calcium.

Graines de citrouille et de tournesol, qui vous apportent du zinc et des protéines.

Fruits frais, riches en vitamine C, qui favorise l'absorption du fer contenu dans les aliments et apporte des phytonutriments.

Fruits séchés (figues, abricots, pruneaux, etc.), faciles à emporter et qui contiennent beaucoup de fer, de fibres et de calcium.

Pain grillé, source d'énergie, de vitamines B et de calcium.

Céréales pour petit déjeuner enrichies en vitamines et en minéraux (en fer, notamment).

Yaourts et fromage : délicieux concentrés de calcium.

La vitamine B_{12} (cobalamines)

Essentielle à la formation des globules sanguins, la vitamine B_{12} se trouve principalement dans les produits d'origine animale. Les végétaliennes doivent donc lui accorder une attention particulière. Consommez des aliments enrichis en vitamine B_{12} ou prenez un complément alimentaire. Et pensez à associer la vitamine B_{12} à de l'acide folique, ces deux éléments étant indissociables dans notre organisme.

Le zinc

Le zinc favorise la division cellulaire nécessaire à la conception. Il est également essentiel pour la formation du système immunitaire et des os. Afin d'éviter toute carence en zinc (surtout si vous prenez un complément de fer qui peut faire obstacle à l'absorption de zinc), mangez beaucoup de graines, de céréales, de pâtes et de riz complet. Si vos espoirs de grossesse restent vains, surveillez l'alimentation de votre partenaire. Une carence en zinc peut entraîner une infécondité masculine.

Lorsqu'on travaille à plein temps, il n'est pas toujours facile de manger aussi bien qu'on le souhaiterait. Prévoir ses menus, emporter des en-cas et choisir des aliments faciles à préparer : autant de façons de se simplifier la vie.

Une journée au travail

Aussi captivant que soit votre travail, prenez le temps de bien manger. Si vous souffrez de nausées matinales ou d'aversions particulières, vous aurez peut-être du mal à trouver l'énergie nécessaire pour aller de l'avant. Et si vous ne parvenez pas à faire de vrais repas, picorez des en-cas bons pour votre santé. Gardez-en toujours un petit assortiment dans le tiroir de votre bureau (voir encadré ci-contre).

Sur le trajet

Si vous utilisez les transports en commun ou si vous devez faire un long trajet en voiture entre votre domicile et votre lieu de travail, emportez un en-cas et un fruit pour reprendre des forces. Vous partez à la dernière minute ? Arrêtez-vous à la cafétéria de la gare pour commander un jus de fruit ou un petit pain au lait, mais n'abusez pas du café (voir page 22) !

Pendant la pause déjeuner

Dans la mesure du possible, emportez votre déjeuner pour être sûre de faire un repas équilibré. Souvent, l'inspiration et le temps manquent à l'heure du déjeuner. Notre programme diététique (voir pages 32-53) vous donnera des idées.

Sandwichs Donnez un air de nouveauté à vos sandwichs en utilisant des pains originaux (pitas, tortillas ou ciabattas) et mélangez différentes salades, comme la roquette ou le cresson. Essayez les carottes râpées, les pignons et les germes de haricots mung.

Si vous n'avez pas le temps, le matin, profitez du week-end pour préparer quelques garnitures. La crème de truite fumée à la ricotta ou la crème de poivrons rouges grillés (page 65) se conservent très bien un jour ou deux.

Parmi les sandwichs tout prêts, choisissez les moins gras et ceux à base de pain complet. Les sandwichs industriels utilisent de la mayonnaise pasteurisée, parfaitement inoffensive, mais attention aux fromages à croûte fleurie, tels que le brie (voir page 20).

Soupes Préparez-la vous-même (voir pages 57-62) ou achetez-la toute faite, en brique ou en bouteille. Lisez attentivement les étiquettes afin d'éviter celles qui ont une trop forte teneur en sel. Oubliez les bouillons (à moins que vous ne puissiez rien avaler d'autre), qui calment très passagèrement l'appétit. Profitez du week-end pour faire cuire une grande marmite de soupe et congelez-en une partie en prévision de vos déjeuners.

Pommes de terre au four Excellente garniture pour le déjeuner, les pommes de terre vous apportent de l'énergie, de la vitamine C et des fibres. Si vous pouvez cuisiner sur place, prévoyez une petite macédoine de maïs aux poivrons (voir page 66) ou de la crème d'avocat au fromage (voir page 63) pour les accompagner. Lorsque vous mangez des pommes de terre au four à la cantine, évitez les préparations trop grasses et assurez-vous que la peau a bien été brossée.

Salades Préparées par vos soins ou achetées toutes prêtes, privilégiez les salades contenant des ingrédients variés et contrôlez leur fraîcheur. Les salades à base de céréales, de pâtes ou de semoule vous apporteront de l'énergie pendant une bonne partie de l'après-midi. (Vous trouverez certaines recettes pages 113-118.) Complétez les salades de légumes verts par un apport de protéines et de pain pour satisfaire

Les petits pains Excellente source d'énergie, les petits pains s'emportent facilement au travail et vous pouvez varier à l'infini les garnitures.

Stratégie professionnelle Vous avez besoin de faire le plein d'énergie pour assumer votre travail et votre grossesse : pensez à bien manger !

Les pitas Savourez une pita à la farine complète : salade, poulet froid, ciboulette, un peu de condiment : votre déjeuner est prêt !

des en-cas dans son tiroir...

Ayez toujours quelques petites choses à grignoter en cas de petite faim.

Des fruits. Achetez des fruits variés, en petite quantité, pour ne pas vous lasser.

Des crackers, des biscuits sablés et des barres de céréales.

Une boîte de fruits secs, riches en magnésium, comme les amandes ou les noix de cajou.

Des minibriques de jus de fruits, de lait longue conservation et une petite bouteille d'eau.

Un petit pain, nature ou aux raisins.

Des sachets de fruits séchés (figues, pruneaux, poires, abricots, etc.).

Des morceaux de poivron et de carotte ou des épis de maïs nains, qui se conserveront toute la journée au frais, dans une boîte ou un sachet hermétiques.

vos besoins en énergie et en nutriments. Émincés, les légumes perdent une partie de leur vitamine C. Coupez-les de préférence en gros morceaux et utilisez un assaisonnement acide pour conserver un maximum de vitamines.

Restauration rapide À l'occasion, un hamburger ou une part de pizza feront un excellent repas. Mais n'en abusez pas : ils sont souvent gras. Choisissez de préférence des garnitures aux légumes et évitez celles aux trois fromages.

Déjeuners d'affaires Déjeuner à l'extérieur peut être l'occasion de faire un repas équilibré. Mais ne vous laissez pas aller à manger plus que de raison. Pour vous aider à faire votre choix, reportez-vous aux conseils des pages 30 et 31.

Le soir : se simplifier la vie

Certains soirs, vous rentrez si fatiguée que le dîner à préparer est bien le cadet de vos soucis. N'en profitez pas pour vous jeter sur les biscuits ou ne rien manger du tout. Voici quelques petites astuces pour vous aider.

◆ Demandez l'aide de votre conjoint.

◆ Préparez le double de ce que vous allez manger et congelez le reste en prévision des coups de fatigue à venir.

◆ Si vous disposez d'une cantine sur votre lieu de travail, faites un repas complet à midi et dînez léger le soir.

◆ Servez une escalope de poulet ou une darne de saumon grillées, accompagnées d'une grosse salade ou de brocolis à la vapeur et d'un petit pain grillé.

◆ Pensez aux pâtes, qui sont d'un grand secours.

Dîner avec des amis, partir en vacances ou sortir au restaurant :
gardez à l'esprit quelques notions simples d'hygiène alimentaire pour
profiter pleinement de ces bons moments. Tout un choix d'aliments
sains et nutritifs s'offre à vous.

Manger à l'extérieur

Sortie de votre cuisine, vous serez peut-être confrontée à des
questions d'ordre diététique auxquelles vous n'aviez pas
encore songé. La plupart du temps, il s'agit de savoir si tel
ou tel aliment vous convient. Mais manger à l'extérieur, c'est
aussi l'occasion de lâcher un peu la bride.

Au restaurant

La plupart des restaurants proposent toutes sortes de plats
adaptés aux femmes enceintes. Si vous avez le moindre doute
en lisant le menu, n'hésitez pas à demander des précisions
concernant les ingrédients ou le mode de cuisson et insistez
pour que le serveur se renseigne s'il n'a pas l'air très sûr de lui.
Voici quelques conseils pour vous aider à faire votre choix.

Entrées Évitez le poisson et les fruits de mer crus, comme
les sushis et les huîtres. Préférez les sardines ou les crevettes
grillées. Pâtés et terrines peuvent contenir des listeria :
mieux vaut donc vous abstenir. Enfin, gare aux mousses et
aux soufflés préparés à partir de blanc d'œuf cru !

Plats principaux Ne prenez pas le risque de manger un steak
tartare, des sushis ou tout autre plat de viande ou de poisson
crus. Choisissez plutôt une viande ou un poisson cuits à
cœur, dont le jus est bien clair. Et si vous commandez un
steak, précisez que vous le souhaitez à point. Une fois
encore, attention aux sauces ! N'hésitez pas à demander des
précisions. La sauce hollandaise contient des œufs crus et
sert de base à la sauce mousseline et à la béarnaise.

Desserts Attention aux soufflés, mousses et desserts glacés
au chocolat, souvent préparés avec des œufs crus, au

tiramisu, qui contient du blanc d'œuf,
et aux glaces maison. En revanche,
vous pouvez manger sans crainte une
crème brûlée ou une crème caramel,
dans laquelle les œufs sont cuits.

Boissons Ne vous privez pas du plaisir
d'un petit verre de vin pour
accompagner un repas. Toutefois,
buvez le moins d'alcool possible et
uniquement pendant les repas. Après le dessert, rien ne vous
empêche de prendre un café (tout en gardant à l'esprit les
conseils de la page 22), un décaféiné ou une infusion de
menthe, qui facilite la digestion.

Si vous avez du mal à rester raisonnable, commandez deux
entrées plutôt qu'une entrée et un plat ou une petite portion
d'un plat principal. Vous êtes une incorrigible gourmande ?
Commandez donc une entrée et un dessert. Votre repas ne
sera peut-être pas des plus équilibrés, mais il n'y a rien de
mal à s'offrir un petit plaisir occasionnel.

Pourtant, rien de tel que les brûlures d'estomac pour vous
gâcher le plaisir d'une agréable soirée. Si vous y êtes sujette,
évitez les aliments gras et épicés.

Sur le pouce

Vous partez pour toute la journée, au bureau, en voyage ou en
vacances ? Attention à ne pas prendre de mauvaises habitudes
alimentaires. Avec un peu d'organisation et de prévoyance,
vous pourrez emporter de quoi manger de façon équilibrée. Ne
sautez pas de repas. Même les courts trajets peuvent mettre à

Profiter de l'occasion Lorsque vous mangez à l'extérieur, profitez-en pour commander un mets savoureux que vous n'avez pas l'habitude de cuisiner.

Choisir son menu La plupart des cartes de restaurants affichent un choix varié. Gardez à l'esprit les quelques conseils figurant ci-dessous.

Vous êtes invitée chez des amis ? N'hésitez pas à leur dire que vous êtes enceinte et à leur rappeler quelques principes diététiques. Ainsi, vous profiterez pleinement de leur invitation.

La vie continue...

Manger chez des amis

Préparations à base d'œufs crus Un certain nombre de desserts et de sauces, comme la mayonnaise, contenant des œufs crus peuvent présenter un risque pendant la grossesse.

Viande crue ou saignante Le jambon et autres viandes crues sont déconseillés. Si l'on vous sert de la viande, demandez à ce qu'elle soit cuite à point.

Pâtés et terrines maison À l'exception du pâté de foie, vous n'avez aucune raison de vous priver d'une terrine maison.

Poissons Le poisson est excellent pour les femmes enceintes, à l'exception des sushis et autres plats de poisson cru.

Plateau de fromages Évitez tous les fromages à croûte fleurie (brie, etc.) ainsi que les bleus (voir page 20).

mal vos réserves d'énergie, surtout si vous voyagez aux heures de pointe ou dans des trains bondés. Prenez un petit déjeuner avant de partir et emportez un en-cas pour reprendre des forces pendant le trajet, comme une pomme ou des fruits secs, faciles à transporter et qui se conserveront jusqu'au moment voulu. Si vous partez en voyage, préparez votre repas la veille ou bien achetez un sandwich et un fruit ou une salade de pâtes en cours de route.

Attention à ne pas vous déshydrater si vous voyagez dans un train ou un avion surchauffés. Ayez toujours avec vous de l'eau ou un jus de fruit et ne buvez ni thé ni café : ils ont un effet diurétique et rendraient votre voyage plus inconfortable encore. En avion, évitez de boire de l'alcool.

Partir en vacances

Rien de tel qu'un peu de soleil et de repos, surtout pendant la grossesse. Avant de partir, prenez l'avis de votre médecin, notamment si vous envisagez un voyage en avion. Les conditions d'embarquement varient selon les compagnies aériennes. La plupart acceptent les femmes enceintes pendant les six premiers mois de grossesse, voire jusqu'à la 36 semaine. Au-delà, certaines exigent une lettre signée de votre médecin. Mieux vaut vous renseigner avant de partir.

Voici quelques conseils pour vous aider à bien manger, même loin de chez vous.

- ◆ Sachez toujours ce que vous mangez. Si vous êtes à l'étranger et que vous manquez de vocabulaire pour demander des précisions, évitez tout risque inutile et jouez la prudence.
- ◆ Attention aux aliments achetés sur les marchés ou dans de petites échoppes. Évitez les fruits et légumes non lavés et les en-cas à la viande, pas toujours bien cuite.
- ◆ Même si vous faites un bon dîner le soir, ne sautez pas les autres repas. Vous avez besoin d'un apport énergétique régulier et votre bébé aussi. Ne cherchez pas, l'estomac vide, à en faire toujours plus. Votre état de santé s'en ressentirait.
- ◆ Si vous êtes sujette aux envies, prévoyez le nécessaire. Vous éviterez ainsi à votre conjoint de devoir écumer tous les magasins de la ville aux premières heures du jour.
- ◆ Attention à la déshydratation ! N'oubliez pas de boire au moins 6 à 8 verres d'eau par jour, sans compter les autres boissons. Si vous avez des doutes concernant la qualité de l'eau, buvez exclusivement de l'eau plate en bouteille. L'eau gazeuse ne fait qu'aggraver les brûlures d'estomac.

Programme diététique

0 à 8 semaines

Conçu pour les femmes qui désirent une grossesse, ce programme diététique vous permettra d'améliorer votre fécondité et de donner toutes ses chances à votre bébé. Si vous êtes déjà enceinte, il vous aidera à profiter pleinement de tous les nutriments dont vous, et votre bébé, avez besoin.

Vous êtes déjà enceinte ou vous envisagez une grossesse ? Il est très important de prendre un complément d'acide folique (voir encadré ci-contre) et de suivre une alimentation saine.

Un nouveau mode de vie

Vous venez d'apprendre que vous êtes enceinte ? Profitez-en pour prendre de bonnes résolutions. Dès l'annonce de cette heureuse nouvelle, vous pouvez améliorer votre régime alimentaire de mille façons pour répondre aux exigences de la grossesse et donner à votre bébé les nutriments et l'énergie dont il a besoin. Si vous nourrissez de sérieuses inquiétudes concernant votre mode de vie avant la grossesse, parlez-en à votre médecin ou à votre sage-femme. Et n'oubliez-pas : mener dès à présent une vie plus saine aura de nombreux effets bénéfiques pour vous et votre bébé et vous aidera à surmonter l'accouchement.

Des aliments bons pour vous

Bien des femmes s'inquiètent de l'aspect que prendra leur corps dans les mois à venir. À ce stade de la grossesse, les besoins énergétiques augmentent très peu. Laissez-vous guider par votre appétit et ne soyez pas tentée de manger plus que nécessaire. Si votre grossesse se passe bien, faites

PROGRAMME DIÉTÉTIQUE

	Lundi	Mardi	Mercredi
Petit déjeuner	• Salade de fruits • Yaourt nature et miel • Scone aux fruits ou tartine grillée	• Lait et flocons de céréales complètes • Jus de fruit • Banane	• Petit pain croustillant avec de la confiture • Fromage frais aux abricots secs
Déjeuner	• Part de pizza maison • Salade copieuse • Yaourt aux fruits	• Pain garni de ricotta, de tomates et de salade • Petit gâteau aux flocons d'avoine • Tranche de melon	• Grosse pomme de terre garnie de thon et de maïs • *Salade de chou à l'orientale* • Crème caramel
Dîner	• *Haricots cornilles aux champignons accompagnés de riz* • *Poire pochée à la cardamome sur fond de sauce au chocolat*	• *Maquereau pané aux flocons d'avoine et nappé de vinaigre de framboise avec pommes de terre et petits pois* • Sorbet au citron	• *Pizza aux champignons, aux asperges et à la roquette* • Part de *gâteau de carottes aux épices*

régulièrement de l'exercice (la natation ou la marche sont excellentes) et continuez à mener une vie active : cela vous aidera à conserver votre tonicité musculaire et un poids raisonnable. S'il s'agit d'une grossesse à risques en raison d'une précédente fausse couche ou de tout autre antécédent médical, la pratique d'un exercice physique soutenu peut être déconseillée. Dans le doute, parlez-en à votre médecin.

Prendre soin de son corps, c'est aussi arrêter de fumer ou de consommer des drogues, si ce n'est déjà fait. Le tabac peut entraîner une diminution du poids de naissance du bébé et diverses complications, comme un risque accru de fausse couche, sans parler des effets à long terme sur la santé de votre enfant.

Le point sur... *les folates et l'acide folique*

Les folates (dont l'acide folique est la forme synthétique) sont naturellement présents dans nombre d'aliments, mais une bonne alimentation ne suffit pas à réduire le risque de spina-bifida ou autre malformation du tube neural (qui forme la moelle épinière) chez le fœtus. Prenez quotidiennement un supplément de 400 µg d'acide folique dans les mois précédant la grossesse et jusqu'au 4e mois (0-12e semaine). Mangez des aliments riches en folates pendant toute votre grossesse.

Asperges, avocats, betteraves, haricots cornilles, choux de Bruxelles, melon Cantaloup, céréales pour petit déjeuner enrichies en vitamines, oranges, épinards, pain complet et pâtes.

Fatiguée ?

Si vous vous sentez fatiguée pendant la journée...

◆ Contrôlez votre taux de fer (voir page 43). La sensation de fatigue est souvent la conséquence d'une anémie.

◆ Faites des repas réguliers. Le programme diététique ci-dessous vous donne des idées de menus pour mieux lutter contre la fatigue.

◆ Si vous avez besoin d'un en-cas, choisissez un aliment riche en hydrates de carbone complexes, qui vous donnera de l'énergie pendant plusieurs heures (sandwich, galette aux céréales, petit pain). Biscuits, chocolat et autres boissons sucrées auront un effet énergétique de courte durée : très vite, vous aurez à nouveau faim.

Jeudi	Vendredi	Samedi	Dimanche
• Œuf dur et tartine de pain grillé complet • *Jus de poire, pomme et raisin*	• Lait et muesli aux dattes • Jus de fruit	• *Milk-shake à la fraise* • Croissant ou petit pain au lait	• Bacon grillé avec des tomates et des champignons • Pain grillé complet • Jus de fruit
• Sandwich au poulet et à la roquette avec assaisonnement au citron • *Milk-shake au melon et à la fraise*	• Fromage et crackers accompagnés de salade de tomates • Clémentine ou orange • Yaourt au miel	• *Soupe de brocolis à la menthe avec croûtons de polenta* • Petit pain • Banane	• *Lasagnes de thon au fenouil* • *Salade de pois gourmands et d'avocat* • Sorbet au cassis
• *Sauté de porc aux poivrons servi avec du riz* • Fromage blanc aux fruits • Biscuit sablé	• *Risotto aux courgettes et aux noix de cajou accompagné de mesclun* • *Brownie au chocolat et aux noix de pécan*	• *Aumônières de courge butternut et de pois chiches à la marocaine* • *Graine de couscous à la ciboulette* • *Crème glacée à la mangue et aux fruits de la passion*	• *Goulasch de bœuf avec purée de pommes de terre et de brocolis* • *Tarte aux abricots et aux amandes*

En-cas et boissons

Buvez 6 à 8 verres d'eau par jour, en plus des autres boissons.

Si vous êtes fatiguée, n'essayez pas de vous réveiller à tout prix avec des boissons à la caféine : elles favorisent la déshydratation. Prenez plutôt un jus de fruit, un grand verre d'eau fraîche ou de lait écrémé.

Vous avez besoin de reprendre des forces ? Pensez avant tout aux jus de fruits, purs ou dilués. Si vous souhaitez un en-cas plus substantiel, vous trouverez des conseils pages 27-29.

Laissez-vous guider par votre appétit, sans oublier qu'à ce stade de la grossesse, vos besoins énergétiques augmentent très peu, à moins que vous ne soyez en dessous de votre poids normal.

9 à 12 semaines

C'est au cours de cette période que votre bébé finit de se former. Un bon équilibre nutritionnel ne peut que favoriser son développement. Notre programme prévoit des recettes riches en magnésium et en vitamine A, deux éléments essentiels.

Des aliments bons pour votre bébé

Le magnésium, indispensable à une bonne croissance osseuse, est également important pour le développement général du fœtus. Selon une étude récente, la quantité de magnésium consommée pendant les trois premiers mois de la grossesse influe sur le poids, la taille et le périmètre crânien du bébé à la naissance. Une raison de plus pour manger suffisamment d'aliments riches en magnésium.

La vitamine A est nécessaire tout au long du développement du bébé. Elle a des effets bénéfiques sur sa peau, son système digestif et ses poumons. Pendant les trois premiers mois, votre bébé se constitue un stock de vitamine A. Vous devez donc lui en apporter suffisamment en privilégiant des aliments comme les patates douces, les carottes, le potiron, les épinards et les mangues. Les recettes du programme diététique ci-dessous vous y aideront.

Des aliments bons pour vous

Le magnésium est essentiel à la bonne santé des muscles, et notamment de l'utérus. En outre, il favorise la fabrication et la réparation des tissus. Il est présent en grande quantité dans les salades, les noix, le soja, les graines (en particulier de citrouille, de melon et de tournesol) et les céréales complètes. Intégrez tous ces aliments riches en magnésium à votre alimentation. Le placenta favorise la régulation du taux de magnésium : vous n'avez donc rien à craindre si vous en consommez plus que nécessaire. Il semble qu'une chute du taux de magnésium en fin de grossesse favorise le déclenchement de l'accouchement.

La vitamine A protège la peau et les parois des différents organes. Mangez à volonté des produits laitiers à teneur réduite en matière grasse, riches en rétinol.

PROGRAMME DIÉTÉTIQUE

	Lundi	Mardi	Mercredi
Petit déjeuner	• Lait et muesli • Jus de fruit • Tranche de pain grillé tartinée d'extrait de levure	• Milk-shake à la banane et aux amandes	• Lait aux céréales avec des abricots secs émincés • Jus de fruit
Déjeuner	• Soupe d'épinards au cumin • Petit pain garni de poulet et de tomate • Satsuma	• Pomme de terre en robe des champs et haricots à la tomate saupoudrés de fromage allégé râpé • Salade verte • Poire	• Graine de couscous à la ciboulette avec de la feta • Salade de chou à l'orientale • Tranches de mangue et de papaye fraîches
Dîner	• Saumon épicé à la thaïe accompagné de pommes de terre nouvelles et de salade verte • Sorbet à la mangue	• Poulet grillé à la purée de patates douces et de fenouil accompagné de pois gourmands • Crème brûlée à la framboise et au yaourt	• Gratin de bœuf aux épinards accompagné de petits pois et de carottes • Salade de fruits d'hiver et glace allégée à la vanille

Fatiguée et nauséeuse ?

La fatigue constitue parfois l'un des principaux problèmes à ce stade de la grossesse. D'ailleurs, vous souffrez peut-être de nausées, et l'idée même d'un petit déjeuner vous soulève l'estomac... Pourtant, c'est un moment important pour vous et votre bébé. Ne sautez surtout pas le petit déjeuner.

Fort désagréables, les nausées seront d'autant plus gênantes si vous n'avez pas encore annoncé officiellement votre grossesse. Souvent appelées « nausées matinales », elles surviennent en réalité à tout moment de la journée. Voici quelques conseils pour vous aider :

- Ayez sur votre table de nuit quelques biscuits nature (petits-beurre ou crackers, par exemple) et grignotez-en un ou deux avant de vous lever.
- Lorsque vous vous sentez barbouillée, buvez à petites gorgées une boisson au gingembre.
- Mangez de petits en-cas neutres entre les repas, comme des galettes de riz ou des petits-beurre.
- Si l'odeur des aliments vous incommode, demandez à votre conjoint de vous relayer aux fourneaux ou, lorsque vous vous sentez bien, cuisinez en grande quantité et congelez.
- Si vous ne pouvez rien manger ni boire, vous risquez de vous déshydrater rapidement. Demandez conseil à votre médecin ou à votre sage-femme. Ils vous recommanderont peut-être des comprimés de vitamine B_6. Mais ne les prenez pas sans avis médical.

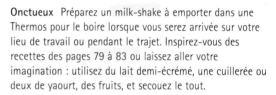

Si vous sautez régulièrement le petit déjeuner ou si vous avez du mal à manger depuis que vous êtes enceinte, voici quelques conseils pour vous apporter les nutriments dont vous avez besoin en début de journée. Car le déjeuner est encore loin, pour vous comme pour votre bébé.

La vie continue...

Petit déjeuner de travail

Onctueux Préparez un milk-shake à emporter dans une Thermos pour le boire lorsque vous serez arrivée sur votre lieu de travail ou pendant le trajet. Inspirez-vous des recettes des pages 79 à 83 ou laissez aller votre imagination : utilisez du lait demi-écrémé, une cuillerée ou deux de yaourt, des fruits, et secouez le tout.

Sucré Achetez différents petits paquets de céréales pour petit déjeuner et emportez-en un tous les matins, à manger accompagné d'un fruit ou deux.

Savoureux Un excellent sandwich peut faire un petit déjeuner. Garnissez par exemple un petit pain croustillant d'une tranche de jambon ou de fromage.

Jeudi	Vendredi	Samedi	Dimanche
· 2 œufs à la coque avec une tranche de pain complet grillée · Jus de fruit ou lait	· Lait avec céréales enrichies et poire séchée émincée · Jus de fruit	· Bol de *salade de fruits d'hiver* avec yaourt à la grecque · Petit pain tout chaud à la confiture	· Pain au chocolat ou petit pain au lait · Jus de fruit · Nectarine
· Sandwich au fromage · Grand bol de mesclun · *Jus de melon et d'orange* · Quelques grains de raisin	· Taco de thon aux germes de soja avec sauce au citron · Yaourt nature à l'émincé de dattes	· *Jalousie de poivrons rouges et de tomates* accompagnée de salade verte et de pommes de terre à la vapeur · *Entremets meringué à l'abricot*	· *Soupe de courge butternut aux carottes* · Fromage et petit pain aux céréales · Poire · Verre de lait
· Pavé de saumon grillé avec des brocolis et des haricots verts · *Gratin de patates douces et de potiron* · Sorbet citron au coulis de framboise	· *Roulé de jambon et de poulet aux épinards* accompagné de riz et de salade verte · *Brochettes d'ananas et de papaye grillées*	· *Gratin onctueux de poisson* avec petits pois et carottes · *Pudding de pain perdu au panettone*	· *Côte d'agneau à la libanaise* avec des courgettes et des brocolis · *Crème glacée à la mangue et aux fruits de la passion*

En-cas et boissons

Pendant cette période, les besoins caloriques n'augmentent guère, sauf chez les femmes abordant la grossesse avec un déficit pondéral. Lorsque vous avez envie d'un en-cas, prenez un fruit, un yaourt ou un verre de lait.

Si, pendant plusieurs jours d'affilée, vous vomissez tout ce que vous mangez ou buvez, consultez votre médecin ou votre sage-femme.

Pensez à boire 6 à 8 grands verres d'eau par jour, en plus des autres boissons.

13 à 16 semaines

Généralement, à ce stade de la grossesse, les nausées s'estompent et vous vous sentez plus en forme. Vous redécouvrez peu à peu le plaisir de manger en savourant, à l'occasion, un petit verre de vin. Profitez de votre appétit retrouvé pour bien manger.

Des aliments bons pour vous

Mettez à profit ce regain d'énergie pour vous organiser, sans aller pour autant jusqu'au bout de vos forces en cherchant à en faire trop.

◆ Préparez en grosse quantité certains plats dont nous vous donnons la recette et congelez-en une partie en prévision des moments où la fatigue reprendra le dessus.

◆ Achetez des fruits et légumes sortant de l'ordinaire et essayez de nouvelles recettes pour diversifier vos sources de nutriments. Profitez-en pour faire des réserves de briques de jus de fruits, de boîtes de pâtes ou de céréales.

◆ Apprenez à faire vos courses par Internet. Vous pourrez ainsi vous faire livrer les produits lourds ou volumineux à domicile et économiser un temps précieux lorsque votre bébé sera là.

PROGRAMME DIÉTÉTIQUE

	Lundi	Mardi	Mercredi
Petit déjeuner	• Yaourt au lait entier avec du miel • Jus de fruit • Scone à la farine complète ou tartine de pain complet	• Lait et pétales de céréales enrichis en son • Quartiers d'orange et de pamplemousse	• Lait et muesli • Jus de fruit
Déjeuner	• Sandwich au saumon (en conserve) et à la salade • Quelques grains de raisin • Barre de céréales • Milk-shake	• Taco à la salade de poulet • Poire • Yaourt écrémé aux fruits • *Jus de carottes, de pomme et de citron vert*	• *Friand à la ricotta et aux pommes* • *Salade de chou rouge* • Part de *gâteau de carottes aux épices*
Dîner	• *Risotto aux courgettes et aux noix de cajou* • *Salade verte tiède* • *Sorbet citron au coulis de cassis*	• *Strudel de sardines au citron* avec pommes de terre nouvelles et courgettes • *Salade de fraises, de poire et de fruits de la passion*	• *Gratin onctueux de poisson* avec haricots verts et courgettes • *Entremets meringué à l'abricot*

Vous boirez bien quelque chose ?

De nombreuses femmes cessent toute consommation d'alcool dès les premières semaines de leur grossesse et jusqu'à son terme. Mais vous aurez peut-être envie d'un petit verre de vin pour accompagner un bon repas ou fêter un événement. Pour l'heure, nous ignorons si les effets de l'alcool varient selon le stade de la grossesse. Mieux vaut pécher par excès de prudence. Limitez-vous à un verre de vin pour accompagner un repas, une à deux fois par semaine. Pour en savoir plus sur ce sujet, reportez-vous à la page 21.

Des aliments bons pour votre bébé

L'essentiel reste de diversifier votre alimentation pour apporter à votre bébé les différents nutriments dont il a besoin. Il est maintenant totalement formé et ressemble vraiment à un bébé. À ce stade, citons parmi les nutriments les plus importants la vitamine D et les acides gras oméga 3 DHA et EPA, essentiels au bon développement du cerveau et des yeux, et que l'on trouve en grande quantité dans le poisson et les fruits de mer. C'est pourquoi notre programme diététique propose de nombreuses recettes à base de poisson, également très riche

Le point sur... *l'iode*

Vers la 14e semaine, la glande thyroïde du bébé entre en activité et commence à fabriquer des hormones. L'iode est nécessaire au bon fonctionnement de la thyroïde. C'est dans le poisson, les fruits de mer et les algues que l'on trouve la plus forte teneur en iode. Mangez au moins deux fois par semaine certains aliments figurant dans la liste ci-dessous.

Haddock, algues, maquereau, crevettes, saumon, sardines, truite.

en iode (lire ci-contre). Si vous ne mangez pas de poisson, votre médecin pourra vous prescrire un complément alimentaire.

Vous avez peut-être lu certaines informations mettant en doute l'opportunité de manger du poisson pendant la grossesse. Sachez que les bienfaits du poisson sur le plan nutritionnel compensent largement les risques potentiels (pour en savoir plus, voir page 21).

Jeudi	Vendredi	Samedi	Dimanche
• Pain grillé aux raisins • Chocolat chaud • *Salade de fruits d'hiver*	• Porridge au sirop d'érable • Jus de fruit	• Yaourt aux abricots secs trempés dans de l'eau • Milk-shake aux fruits	• Crêpes ou gaufres au jus de citron et au sucre vanillé • Pêche ou pamplemousse
• *Crème de truite fumée à la ricotta* avec pain pita et crudités • Petit gâteau aux flocons d'avoine • Orange ou pêche	• *Salade de pois gourmands et de haricots au pesto* • Petit pain croustillant • Crème caramel	• *Soupe d'orge au poulet et aux boulettes* • *Cookie d'avoine aux canneberges*	• *Duo de poire rouge et de poire verte aux noix* • Tranche de jambon • *Pain aux graines de tournesol, de citrouille et de pavot*
• *Côte d'agneau à la libanaise* avec pommes de terre nouvelles et brocolis • Glace au coulis de fruit	• *Poulet au chorizo et aux olives* accompagné de petits pois • *Gâteau de riz au safran et au citron*	• *Maquereau pané aux flocons d'avoine et nappé de vinaigre de framboise* avec des pommes de terre nouvelles et des brocolis • Yaourt au citron	• *Goulasch de bœuf avec gratin crémeux aux deux pommes et haricots verts* • *Pudding de pain perdu au panettone*

En-cas et boissons

Faites confiance à votre appétit sans oublier qu'à ce stade de la grossesse, vos besoins énergétiques augmentent très peu.

Si vous ressentez le besoin d'un en-cas, mangez un fruit, un scone ou un petit pain aux raisins, et si vous avez encore faim, suivez les conseils des pages 27-29.

Si vous ne gardez aucun aliment, demandez conseil à votre médecin ou à votre sage-femme.

Buvez beaucoup d'eau (au moins 6 à 8 grands verres par jour), en plus des autres boissons.

17 à 20 semaines

Voici venu le 5ᵉ mois. Vous vous sentez sans doute moins fatiguée, peut-être même en pleine forme. Votre bébé va commencer à bouger. Il a besoin de grandes quantités de vitamine D et de calcium pour consolider ses os.

C'est l'époque idéale pour prendre quelques vacances. Si tout se passe normalement, vous vous sentez en forme et avez retrouvé votre équilibre hormonal. Ces quelques jours de vacances vous permettront de faire un peu d'exercice, de rattraper votre retard de sommeil et de bien manger. Le risque de fausse couche est moindre et rien ne vous empêche de prendre l'avion (voir page 31). En outre, la vitamine D emmagasinée au soleil favorisera la consolidation du squelette de votre bébé.

Des aliments bons pour votre bébé

Votre bébé a besoin d'une bonne dose de vitamine D et de calcium pour se fabriquer des dents et des os solides. Les principaux aliments riches en vitamine D sont les poissons. Notre programme diététique vous offre une mine d'idées pour manger du poisson tout au long de la semaine. Si vous devez éviter le poisson, sachez que les œufs contiennent aussi beaucoup de vitamine D. En outre, nous vous conseillons de prendre un complément de 10 µg par jour de vitamine D.

Une exposition modérée au soleil vous apportera également de la vitamine D. Attention toutefois à ne pas en abuser pour ne pas risquer un cancer de la peau. Une demi-heure par jour suffit à vous procurer la vitamine D nécessaire. Pensez à protéger votre peau en utilisant une crème solaire qui n'entrave en rien l'absorption de vitamine D par l'organisme.

PROGRAMME DIÉTÉTIQUE

	Lundi	Mardi	Mercredi
Petit déjeuner	· Pétales de blé enrichis en son · Quartiers d'orange et de pamplemousse · *Milk-shake au yaourt et à la framboise*	· Porridge au sirop d'érable · Jus d'orange	· Œufs à la coque avec tranche de pain grillé complet · 1/2 pamplemousse
Déjeuner	· Pomme de terre au four garnie de *crème d'avocat au fromage* · Salade verte · Nectarine	· *Crème de poivrons rouges grillés* · Pain aux céréales · Yaourt à la vanille avec émincé de poire séchée	· Sandwich à l'hoummos et à la salade · Tranche de *gâteau à la banane et aux noix du Brésil* · Jus de fruit
Dîner	· *Pizza aux champignons, aux asperges et à la roquette* · *Salade de chou à l'orientale* · *Salade de fruits d'hiver*	· *Brochettes de poisson au lait de coco* · *Graine de couscous à la ciboulette* · *Crème caramel accompagnée d'un kiwi*	· *Légumes grillés au tofu* · Pain croustillant · *Crème brûlée à la framboise et au yaourt*

Le point sur... *le calcium*

Le calcium est essentiel à la bonne santé de vos dents et de votre squelette, mais aussi de ceux de votre bébé. Il peut en outre réduire les risques de pré-éclampsie. Afin de limiter la quantité de matière grasse absorbée, privilégiez les produits laitiers allégés.

Amandes, abricots (secs), fromage, pois chiches, poisson (en conserve, avec ses arêtes), fromage blanc, lait (y compris lait de soja enrichi), tahini, tofu, épinards et yaourts.

Tout naturellement, l'organisme l'absorbe plus efficacement. D'où l'importance de manger de nombreux aliments riches en calcium.

Calcium et pré-éclampsie

En mangeant des aliments riches en calcium, vous réduisez également les risques d'hypertension gestationnelle pouvant déboucher sur une pré-éclampsie. Ce risque perdure durant toute la grossesse, mais c'est à ce stade que l'hypertension peut se déclarer. C'est la raison pour laquelle votre tension est vérifiée régulièrement lors des visites de contrôle.

Selon différentes études, la prescription d'un complément de calcium aux femmes présentant un risque élevé d'hypertension réduit les probabilités de pré-éclampsie. En revanche, elle semble sans effet ou presque sur les femmes ayant peu de risques de développer une hypertension. Si vous pensez faire partie de la population à haut risque, demandez l'avis de votre médecin, car le type de complément et le dosage conseillés varient d'une femme à l'autre.

Des aliments bons pour vous

Le calcium joue un rôle important dans la transmission nerveuse et la contraction musculaire. Il favorise en outre la bonne santé des dents et des os. Veillez à manger toutes sortes d'aliments riches en calcium, comme les produits laitiers et les poissons en conserve (avec leurs arêtes) pour apporter à votre bébé le calcium dont son squelette a besoin.

Au Royaume-Uni, il n'existe aucune recommandation préconisant un complément de calcium pendant la grossesse.

Jeudi	Vendredi	Samedi	Dimanche
· Salade de fruits d'hiver et yaourt à la grecque · Jus de poire, de pomme et de raisin	· Lait avec du muesli · Jus de fruit · Tartine de pain grillé à la confiture	· Bacon grillé avec des tomates et des champignons · Petit pain croustillant avec de la confiture	Brunch · Pilaf de maquereau fumé · Petits pains chauds · Assortiment de fromages · Salade de fraises, de poires et de fruits de la passion · Jus de fruit
· Soupe de champignons aux noix · Mangue ou orange · Brownie au chocolat et aux noix de pécan	· Strudel de sardines au citron · Salade verte · Fraises ou clémentines	· Tarte aux épinards et à la ricotta avec une salade verte · Salade de fraises, de poires et de fruits de la passion	
· Crêpes d'avocat au poivron rouge · Brocolis et petits pois · Sorbet au cassis	· Poulet grillé à la purée de patates douces et de fenouil · Poire pochée à la cardamome avec sa crème anglaise	· Saumon en croûte à l'estragon · Riz · Ratatouille · Entremets meringué à l'abricot	· Brochettes de porc au basilic et au citron · Salade verte tiède · Gâteau de riz au safran et au citron

En-cas et boissons

Si vous avez besoin d'un en-cas, pensez avant tout à un verre de lait au fruit ou de jus de fruit. Si vous souhaitez quelque chose de plus consistant, les pages 27 à 29 vous donneront quelques bonnes idées.

Mangez des abricots secs, des amandes et du fromage blanc pour absorber davantage de calcium.

Si vous avez faim avant d'aller vous coucher, prenez une boisson à base de lait ou une tisane.

Buvez 6 à 8 grands verres d'eau tous les jours, en plus de toute autre boisson.

21 à 24 semaines

Maintenant vous êtes enceinte, cela saute aux yeux, et vous êtes peut-être tentée de manger pour deux. Votre organisme absorbe plus efficacement les nutriments contenus dans les aliments. Vous n'avez donc pas besoin de manger beaucoup plus qu'à l'accoutumée. En revanche, vous devez suivre une alimentation saine et variée.

À ce stade de la grossesse, vous avez peut-être du mal à accepter votre nouvelle silhouette et vous craignez de ne jamais retrouver votre ligne. Ne vous laissez pas aller à trop manger : vous pourriez avoir du mal à perdre les kilos superflus. En mangeant à bon escient, vous calmerez votre faim tout en absorbant les nutriments dont vous et votre bébé avez besoin et maintiendrez votre poids dans des limites raisonnables.

Des aliments bons pour vous

Avant de vous jeter sur un paquet de biscuits, allez plutôt regarder ce qu'il y a dans la corbeille à fruits. Les sucres contenus dans une pomme ou une poire sont libérés dans le sang de façon beaucoup plus lente, ce qui permet d'éviter les coups de barre qui suivent l'absorption d'aliments immédiatement énergétiques. Si votre envie de biscuits est

irrésistible, mangez d'abord un fruit, puis un ou deux biscuits. Ainsi, vous aurez (en partie) satisfait votre envie, mais aussi absorbé des vitamines, fait le plein d'énergie durable et avalé moins de calories « vides ».
Facilitez-vous la vie en ayant toujours des fruits, des légumes, du pain, des noix et des graines à la maison, mais aussi au travail, pour grignoter.

Profitez pleinement de ce que vous mangez

Même lorsque vous suivez une alimentation variée, attention à ne pas réduire à néant tous vos efforts ! Sachez par exemple que boire du café ou du thé au repas peut limiter la quantité de fer absorbée par l'organisme. En effet, leurs tanins rendent plus difficile l'absorption des minéraux. Attendez au moins 30 minutes après la fin du repas pour prendre un thé ou un café.

PROGRAMME DIÉTÉTIQUE		Lundi	Mardi	Mercredi
	Petit déjeuner	• Yaourt à l'émincé de fruits séchés • Petit plain complet avec de la confiture	• Lait, muesli et dattes émincées • *Jus de carotte, de pomme et de citron vert*	• 2 œufs à la coque avec leurs mouillettes de pain complet • Nectarine
	Déjeuner	• Sandwich de baguette au jambon et au mesclun • *Cookie d'avoine aux canneberges* • Pomme ou poire	• Taboulé à la feta • Banane • Barre de céréales	• Spaghettis à la bolognaise • Salade verte • Yaourt glacé au coulis de framboise
	Dîner	• *Haricots cornilles aux champignons* • *Risotto aux abricots et au gingembre* • Crème caramel • Dés de papaye	• *Petite macédoine de maïs aux poivrons, avec des longuets* • *Porc à l'orange et aux blettes* accompagné de brocolis et de riz	• *Risotto au chorizo et aux champignons* • Yaourt et kiwi en tranches • *Petit gâteau de flocons d'avoine aux pignons et au sirop d'érable*

Manger beaucoup d'aliments complets (riz, pâtes, pain) est excellent pour la santé. Toutefois, en quantité excessive, ils peuvent réduire la part de calcium, de fer et de zinc absorbée par l'organisme. Ces minéraux sont également présents dans certains légumes, comme les épinards. Mais là encore, leur absorption est limitée par des composés appelés phytates.

Avez-vous besoin d'un complément de fer ?

Certains médecins prescrivent systématiquement un complément de fer aux femmes enceintes. Or, toutes n'en ont pas besoin et il peut favoriser la constipation. Si votre médecin estime que vous êtes anémique, demandez-lui de vous prescrire une analyse pour contrôler votre taux de ferritine dans le plasma. Il permet de connaître vos réserves en fer et constitue un indicateur beaucoup plus fiable que le taux d'hémoglobine. Si vous avez décidé de ne pas prendre de complément de fer ou que vous n'en avez pas besoin, pensez à manger des aliments riches en fer, comme la viande rouge maigre, la volaille, les céréales pour petit déjeuner enrichies en fer ou les sardines et maquereaux en conserve.

Des aliments bons pour votre bébé

C'est pendant cette période que vont se développer le système immunitaire et les tissus gras protecteurs du bébé. Pour favoriser ce processus, votre alimentation doit rester équilibrée. Le programme diététique ci-dessous intègre des aliments très variés (dont bon nombre riches en fer) répondant parfaitement à vos besoins et à ceux de votre bébé à ce stade de la grossesse.

La cuisine végétarienne apporte fer, minéraux et vitamines. Même si vous aimez manger de la viande, alternez avec des plats végétariens (voir pages 85-92), excellents pour la santé.

La vie continue...

À la manière végétarienne

Mangez des légumes secs Source d'énergie et de fibres, ils contiennent également du fer et devraient faire partie de notre alimentation habituelle. Pourquoi n'essayez-vous pas les aumônières de courge butternut et de pois chiches à la marocaine (page 87) ou la salade de pois gourmands et de haricots au pesto (page 114) ?

Augmentez votre dose de fer Accompagnez votre repas d'un jus d'orange, de tomate ou d'autres aliments riches en vitamine C pour faciliter l'absorption de fer.

Prenez du calcium Si vous ne mangez pas de produits laitiers ou que vous avez besoin d'un complément de calcium, privilégiez les aliments enrichis en calcium, comme certains pains blancs.

Jeudi	Vendredi	Samedi	Dimanche
• Yaourt et *salade de fruits d'hiver* • Petit pain aux raisins grillé	• *Milk-shake à la banane et aux amandes* • Pain pita fourré au jambon	• Pain au chocolat • Quartiers de pamplemousse et d'orange	• Lait avec céréales complètes et raisins de Smyrne • *Jus de carotte, de pomme et de citron vert*
• Sandwichs de pain de mie au cheddar accompagnés de tranches de pomme • Lait	• Taco garni de canard en salade • Tranche de *gâteau à la banane et aux noix du Brésil* • Pêche ou prunes	• *Pizza au saumon, aux câpres et à la crème fraîche* • Fraises	• *Galette de noix du Brésil* accompagnée de *ratatouille* • Papaye au jus de citron vert
• *Duo de poire rouge et de poire verte aux noix* • *Penne au saumon et aux asperges* • *Mousse de groseilles*	• *Carbonade de bœuf à l'ancienne* avec purée de pommes de terre et haricots verts • Mangue ou melon	• *Poulet aux tomates cerises* avec petits pois et pommes de terre vapeur • *Croustade de poire au gingembre*	• *Goulasch de bœuf* avec pommes de terre au four, brocolis et carottes • *Gratin de fruits au mascarpone*

En-cas et boissons

Fiez-vous à votre appétit, mais à ce stade de la grossesse, vos besoins énergétiques augmentent très peu. Si vous avez besoin de reprendre des forces, privilégiez les en-cas riches du point de vue nutritionnel. Voici quelques idées :

• Lait et céréales enrichies

• Pain pita aux pousses de soja et à l'émincé de poulet

• Yaourt naturel ou aux fruits avec émincé de banane, de poire, de pruneaux ou d'abricots secs

• Pensez à boire beaucoup d'eau : au moins 6 à 8 grands verres par jour

25 à 28 semaines

Ponctué de hauts et de bas, le deuxième trimestre marque une période de débordement hormonal. Bien des femmes se sentent alors particulièrement sexy. Toutefois, votre bébé grandit et peut comprimer votre tube digestif, provoquant des brûlures d'estomac. D'ailleurs, n'êtes-vous pas constipée ?

Des aliments bons pour vous et pour votre bébé

Pure coïncidence ? Toujours est-il que nombre d'aliments traditionnellement dotés de vertus aphrodisiaques sont riches en nutriments essentiels au développement d'un bébé. Ainsi les huîtres, riches en zinc, ou les asperges, excellente source de folates. Le menu du samedi, propice à l'éveil des passions, vous apportera, ainsi qu'à votre bébé, tous les nutriments nécessaires.

Mieux supporter certains désagréments prévisibles

Pendant la grossesse, votre taux de métabolisme augmente d'environ 20 % et, même au repos, votre corps éprouve une sensation de chaleur beaucoup plus grande qu'à l'accoutumée. Si vous sentez des bouffées de chaleur, buvez de grandes quantités d'eau pour compenser la perte supplémentaire de liquide due à la transpiration.

PROGRAMME DIÉTÉTIQUE

	Lundi	Mardi	Mercredi
Petit déjeuner	• Lait et flocons de céréales complètes • 1/2 pamplemousse • Petit pain avec de la confiture	• *Salade de fruits d'hiver et yaourt nature* • Jus de fruit • Pain grillé tartiné d'extrait de levure	• Petit pain aux raisins grillé avec du beurre • Yaourt aux fruits • *Jus de carotte, de pomme et de citron vert*
Déjeuner	• Toast de pain complet aux haricots en sauce tomate • Fromage frais • Pomme ou poire	• *Crème de poivrons rouges grillés* sur des crackers • Grosse salade verte • Mousse de fruit	• Taco d'œuf mayonnaise et de tomates séchées • Prunes ou raisin • Milk-shake aux fruits
Dîner	• *Pizza au saumon, aux câpres et à la crème fraîche* • *Salade de chou rouge* • Sorbet au cassis	• *Paella* • Compote de pommes et sa crème anglaise	• *Soupe d'épinards au cumin* • Salade de tomates • *Croustade de poire au gingembre*

Cette phase de la grossesse est souvent marquée par des brûlures d'estomac et des digestions difficiles. Sous l'effet de la progestérone, votre estomac se vide plus lentement. De plus, le bébé grossit et comprime votre estomac, entraînant une remontée d'acides gastriques. Pour atténuer les brûlures d'estomac, faites de petits repas : votre corps digérera plus facilement de petites quantités d'aliments. Évitez les plats gras ou épicés et les boissons gazeuses. Enfin, ne vous allongez pas juste après le repas et portez de préférence des vêtements amples.

Une analyse de sang à ce stade de la grossesse révélera peut-être un taux de cholestérol plus élevé que d'habitude. Tout cela est normal. Ne vous inquiétez pas. Ce cholestérol supplémentaire constitue la base de nombreuses hormones. Surtout, n'essayez pas de modifier votre taux de cholestérol pendant la grossesse et évitez les aliments censés le faire baisser (enrichis en protéines de soja, notamment), sauf prescription médicale particulière.

Rester active

Mieux vaut prévenir la constipation que devoir y remédier. Buvez beaucoup d'eau (au moins 6 à 8 grands verres par jour), mangez davantage de fibres et continuez à faire de l'exercice en allant marcher ou nager, par exemple.

Le point sur... *les fibres*

Les fibres jouent un rôle majeur dans le bon fonctionnement de notre système digestif et la prévention de la constipation. En outre, elles favorisent la régulation du taux sanguin de sucre. Il en existe de deux types : les fibres solubles et les fibres insolubles, aussi nécessaires les unes que les autres. Les fibres solubles procurent une sensation durable de satiété et maintiennent un taux de sucre constant dans le sang. Les fibres insolubles préviennent la constipation en facilitant le transit intestinal et l'élimination des déchets dans les selles.

Fibres essentiellement solubles : pommes, légumes secs, flocons d'avoine, poires et pain de seigle.
Fibres essentiellement insolubles : haricots, fruits, légumes à feuilles vertes, lentilles et céréales complètes.

Jeudi	Vendredi	Samedi	Dimanche
· Petits pains croustillants avec du fromage · Poire ou pêche · *Jus de carotte, de pomme et de citron vert*	· Lait aux céréales complètes et à l'émincé d'abricots secs · Jus de fruit	Pourquoi ne pas vous offrir une grasse matinée avant de savourer un délicieux brunch ? · *Cocktail vitalité à l'abricot et à la pêche* · *Crêpes d'avocat au poivron rouge* · *Brochettes d'ananas et de papaye grillées*	· Croissant · Quartiers de pamplemousse et tranche de melon · Yaourt nature au miel
· Salade de pâtes au jambon et à l'émincé de poivrons · *Petit gâteau de flocons d'avoine aux pignons et au sirop d'érable*	· Pomme de terre au four garnie de *crème d'avocat au fromage* · Fraises ou orange		· *Risotto au chorizo et aux champignons* · Salade de roquette et de mizuna · Fraises
· *Marlin grillé au fenouil avec pommes de terre nouvelles, chou-fleur et haricots verts* · *Salade de fraises, de poires et de fruits de la passion*	· *Curry crémeux de légumes avec du riz* · *Émincé de mangue fraîche avec glace à la vanille*	· *Poulet aux asperges et à la crème avec des brocolis et des pommes de terre nouvelles* · *Poire pochée à la cardamome sur fond de sauce au chocolat*	· *Escalopes de porc au céleri et à la gelée de pomme avec haricots mange-tout et pommes de terre nouvelles* · *Entremets meringué à l'abricot*

En-cas et boissons

Si vous avez faim, mangez un en-cas. Vous trouverez une mine d'idées astucieuses et nutritives pages 27-29.

Vous avez faim en allant vous coucher ? Prenez une boisson à base de lait, un bol de céréales ou un yaourt maigre.

Les noix du Brésil font un excellent en-cas. Une seule de ces noix contient quelque 75 µg de sélénium, ce qui suffit à couvrir vos besoins quotidiens. Pourquoi ne pas en avoir un sachet dans le tiroir de votre bureau ?

Pensez à boire au moins 6 à 8 grands verres d'eau par jour, en plus de toute autre boisson.

Votre bébé prend rapidement du poids. Pensez à bien manger pour lui apporter l'énergie, les graisses, les vitamines et les minéraux dont il a besoin. Il déborde d'ailleurs de vitalité, même la nuit, ce qui peut perturber votre sommeil. Voici quelques conseils pour vous faciliter la vie.

Des aliments bons pour vous et pour votre bébé

Si vos nuits deviennent agitées et que la fatigue reprend le dessus, vous n'avez sans doute pas envie de passer des heures à faire la cuisine. Le moment est venu de préparer des repas simples et rapides. Le programme diététique ci-dessous vous donne des idées de menus pour satisfaire votre appétit et vos besoins nutritionnels sans trop vous compliquer la vie.

N'oubliez pas de manger des aliments riches en fer car la fatigue peut être révélatrice d'une anémie. Les plats mijotés à la cocotte sont un peu longs à cuire, mais vous pouvez en cuisiner d'avance puis les congeler. Essayez par exemple la carbonade de bœuf à l'ancienne (page 111). Contrairement à la vitamine C, le fer n'est pas détruit au contact de l'air et se conserve bien.

Au cours des trois derniers mois, la croissance du bébé s'accélère et peut entraîner l'apparition de troubles digestifs, comme les brûlures d'estomac. Si tel est le cas, mangez de petites portions ou faites cinq petits repas par jour, en évitant certaines préparations plus difficiles à digérer, notamment les fritures. Et rassurez-vous : votre inconfort est le signe que votre bébé grandit bien et aura certainement un bon poids à la naissance. Un faible poids peut être synonyme de fragilité dans les années qui suivent la naissance, ou même plus tard.

Le sommeil : un problème ?

Votre bébé bouge beaucoup et vous dormez peut-être mal. Il occupe une place de plus en plus grande dans l'utérus, comprimant la vessie, ce qui vous oblige à aller très souvent aux toilettes. L'encadré ci-contre vous propose quelques conseils alimentaires qui pourront vous aider. Surtout, ne

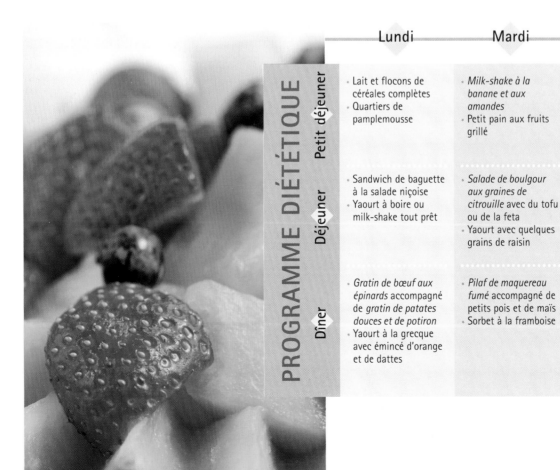

PROGRAMME DIÉTÉTIQUE

	Lundi	Mardi	Mercredi
Petit déjeuner	· Lait et flocons de céréales complètes · Quartiers de pamplemousse	· *Milk-shake à la banane et aux amandes* · Petit pain aux fruits grillé	· Muffin grillé avec quelques tranches de fromage · Poire · *Jus de carotte, de pomme et de citron vert*
Déjeuner	· Sandwich de baguette à la salade niçoise · Yaourt à boire ou milk-shake tout prêt	· *Salade de boulgour aux graines de citrouille* avec du tofu ou de la feta · Yaourt avec quelques grains de raisin	· Toast de sardines grillées avec des tomates · Part de *gâteau de carottes aux épices*
Dîner	· *Gratin de bœuf aux épinards* accompagné de *gratin de patates douces et de potiron* · Yaourt à la grecque avec émincé d'orange et de dattes	· *Pilaf de maquereau fumé* accompagné de petits pois et de maïs · Sorbet à la framboise	· *Soupe d'épinards au cumin* · Scone au cheddar et au céleri · Pêche ou clémentine

Si vous avez du mal à trouver le sommeil, soyez prévoyante et suivez ces quelques conseils alimentaires. Vous n'aurez plus à vous lever aussi souvent pendant la nuit et profiterez mieux de vos heures de repos.

La vie continue...

Se préparer au sommeil

Détendez-vous... Si vous avez du mal à trouver le sommeil, prenez une infusion de camomille ou un verre de lait tiède avant d'aller au lit.

Ne vous levez pas pour grignoter Au dîner, mangez des aliments riches en hydrates de carbone, comme des pâtes, du riz ou des pommes, ou prenez un bol de céréales afin de vous endormir plus facilement.

Pensez-y ! Posez un grand verre d'eau sur votre table de nuit pour ne pas avoir à vous lever si vous avez soif. Si vous vous réveillez régulièrement en ayant faim, laissez au pied du lit une Thermos de lait chaud et buvez-en une tasse avant de vous rendormir. Pendant la nuit, la production de salive est ralentie. Évitez de manger ou de boire des choses sucrées si vous ne voulez pas avoir à vous lever pour vous relaver les dents.

réduisez pas votre consommation d'eau sous prétexte que vous ne voulez pas vous lever pendant la nuit, car vos besoins en liquides restent très importants.

Nourrir le cerveau de votre bébé

Nécessaires tout au long de la vie, les acides gras insaturés jouent un rôle majeur pendant la grossesse. Les acides gras oméga 3 DHA et EPA, qui favorisent le développement des yeux, du cerveau et du système sanguin et nerveux de votre bébé, sont donc indispensables pendant les trois derniers mois de la grossesse, lorsque la croissance du cerveau s'accélère. Les bébés prématurés ou ayant un faible poids à la naissance n'ont pas toujours profité pleinement de cette phase importante et leur alimentation fait l'objet de soins particuliers visant à leur apporter ces acides gras oméga 3. C'est la raison pour laquelle, dans les unités néonatales, on conseille aux jeunes mères d'allaiter leur enfant ou d'utiliser un lait maternisé spécialement enrichi. Voici quelques aliments qu'il serait bon que vous mangiez régulièrement.

◆ Des poissons gras, comme le saumon, le maquereau ou le hareng
◆ Des fruits secs et des graines (tournesol, amandes, etc.)
◆ Des légumes à feuilles vertes
◆ Des huiles ou des margarines à base de graines (tournesol, lin ou colza, notamment)

Jeudi	Vendredi	Samedi	Dimanche
• Yaourt au lait entier avec muesli et éminé de dattes • Jus de fruit	• Œuf brouillé à la ciboulette avec tartine de pain complet grillé • Jus d'orange	• *Jus de poire, de pomme et de raisin* • Tartine de baguette tiède avec de la confiture ou du fromage	• Porridge • Orange ou pêche • *Jus de carotte, de pomme et de citron vert*
• *Soupe de fenouil aux amandes* accompagnée d'un petit pain • Poire • *Petit gâteau de flocons d'avoine aux pignons et au sirop d'érable*	• Sandwich de rosbif en salade • Fromage blanc à l'éminé de banane	• *Graine de couscous à la ciboulette avec de la ratatouille* • Part de *gâteau de carottes aux épices*	• *Gratin de brocolis, de poireaux et de fenouil* • Tranche de *gâteau à la banane et aux noix du Brésil*
• *Riz sauté aux légumes, à la chinoise* • *Crème glacée à la mangue et aux fruits de la passion*	• *Risotto aux courgettes et aux noix de cajou* accompagné de petits pois et de brocolis • Glace	• *Pizza au saumon, aux câpres et à la crème fraîche* • *Salade à l'orientale* • *Croustade de poire au gingembre*	• *Poulet en cocotte aux pruneaux et aux pignons* accompagné de gratin de pommes de terre nouvelles et de chou frisé • Compote de fruits et crème anglaise

En-cas et boissons

Même si vous devez aller aux toilettes plus souvent que d'habitude, continuez à boire au moins 6 à 8 grands verres d'eau par jour.

Vos besoins énergétiques commencent à augmenter. Prenez un en-cas entre les repas si vous en ressentez le besoin.

Vous digérez difficilement ou souffrez de brûlures d'estomac ? Répartissez plusieurs petits repas sur l'ensemble de la journée, en vous inspirant de notre programme diététique.

33 à 36 semaines

À présent, vos besoins énergétiques augmentent. Pensez à manger beaucoup de fruits et de légumes frais, essentiels à votre bien-être et à celui de votre bébé. Le moment est venu de remplir votre congélateur en prévision des semaines agitées qui suivront la naissance.

Soyez prévoyante

Dans quelques semaines, votre bébé sera là. Congelez quelques plats d'avance car vous aurez suffisamment à faire pour vous remettre de l'accouchement et vous habituer à votre nouveau rythme de vie sans passer des heures à la cuisine. Et même si votre conjoint est un cordon-bleu, il aura davantage envie de rester près de vous pour profiter du bébé. Choisissez quelques plats faisant l'unanimité, doublez les proportions et congelez-en la moitié. Parmi les recettes que nous vous proposons, beaucoup se congèlent parfaitement et peuvent être réchauffées le moment venu. En voici quelques-unes, à titre d'exemple, à préparer dès à présent et qui vous apporteront toute une gamme de nutriments parfaitement adaptés aux jours qui suivent l'accouchement.

◆ Soupe de fenouil aux amandes
◆ Soupe de courge butternut aux carottes
◆ Gratin onctueux de poisson
◆ Poulet en cocotte aux pruneaux et aux pignons
◆ Poulet au chorizo et aux olives
◆ Goulasch de bœuf
◆ Tarte aux épinards et à la ricotta

PROGRAMME DIÉTÉTIQUE

	Lundi	Mardi	Mercredi
Petit déjeuner	• Tartine de pain grillé au fromage • Quartiers de pamplemousse • *Milk-shake à la fraise*	• Lait avec pétales de blé enrichis en son et raisins de Smyrne • Jus d'orange	• *Milk-shake au melon et à la fraise* • Croissant avec de la confiture d'abricots • Banane
Déjeuner	• Sandwich de pain de mie au poulet et à la salade • Yaourt à la pêche et aux abricots secs	• Sandwich de baguette toute chaude au bacon et à l'émincé de poivron rouge • *Milk-shake au yaourt et à la framboise*	• Sandwich aux germes de soja et au beurre de cacahuètes • Tranche de *gâteau à la banane et aux noix du Brésil*
Dîner	• *Galette de noix du Brésil* et ratatouille • Compote de pomme et glace	• *Fusilli lunghi au bacon et à la roquette* • Salade verte • *Brownie au chocolat et aux noix de pécan*	• *Côte d'agneau à la libanaise* • *Ratatouille* • *Graine de couscous à la ciboulette* • Émincé d'orange aux dattes

Prenez soin de vos dents

Confrontées aux nombreux bouleversements de la grossesse, beaucoup de femmes enceintes négligent leurs dents. Or, les changements hormonaux et l'augmentation de la pression sanguine entraînent un risque accru de saignement des gencives. Soyez particulièrement vigilante : brossez-vous les dents, utilisez régulièrement un fil dentaire et consultez votre dentiste au moins une fois pendant la grossesse, en lui précisant que vous êtes enceinte pour éviter toute radio inutile.

Adaptez votre hygiène dentaire à vos nouvelles habitudes alimentaires. Si vous prenez plusieurs petits repas au fil de la journée (et peut-être un en-cas pendant la nuit), brossez-vous plus souvent les dents. Les bactéries présentes dans notre bouche déclenchent la fermentation de l'amidon et des sucres contenus dans les aliments en acide qui attaque les dents. Un brossage régulier après chaque repas réduit cette activité bactérienne. De plus, sachez que notre bouche produit moins de salive pendant la nuit. Si vous avez une petite faim, mangez un en-cas sans sucre et sans amidon si vous ne voulez pas avoir à vous relever pour vous brosser les dents.

Des aliments bons pour votre bébé

Votre bébé est tout à fait développé. Il va maintenant étoffer ses réserves de graisse pour affronter le monde extérieur. Continuez à bien manger, même si vous n'arrivez à avaler que des petites portions. Une alimentation variée, riche en fruits et légumes, renforcera le système immunitaire de votre bébé.

Les bouleversements hormonaux et les changements d'habitudes alimentaires peuvent fragiliser vos dents et vos gencives à ce stade de la grossesse. Voici quatre conseils tout simples pour protéger vos dents.

La vie continue...

Prendre soin de ses dents

Nettoyez régulièrement vos dents Après avoir mangé un en-cas sucré, pensez à les brosser.

Grignotez un peu de fromage Pour garder des dents en bonne santé, pensez à manger quelques dés de fromage allégé, riches en calcium et qui favorisent la production de salive.

Préférez les en-cas à faible teneur en sucre Quelques crudités trempées dans une petite sauce sont parfaitement inoffensives pour vos dents.

Faites le plein de vitamine C Importante à plus d'un titre, la vitamine C est excellente pour les dents. Un bol de fraises, une portion de brocolis à la vapeur ou une nectarine suffiront à couvrir vos besoins journaliers.

Jeudi	Vendredi	Samedi	Dimanche
• Lait aux flocons d'avoine et aux abricots secs • Tartine de pain grillé à la confiture • Jus de fruit	• Œuf à la coque avec tartine d'extrait de levure • Quartiers d'orange	• Bacon grillé avec des tomates et des champignons • Petit pain croustillant • Jus de fruit	• Porridge et yaourt à la grecque • *Salade de fruits d'hiver*
• Petit pain garni de salade au fromage • Dés d'ananas et de melon • *Cookie d'avoine aux canneberges*	• Pomme de terre au four avec *petite macédoine de maïs aux poivrons* • *Milk-shake à la banane et aux amandes*	• *Soupe marocaine aux épices* • Fromage et crackers • Fruit	• *Strudel de sardines au citron* • *Salade de pois gourmands et d'avocat à la sauce au basilic*
• *Risotto au chorizo et aux champignons* avec des brocolis et des carottes • *Poire pochée à la cardamome sur fond de sauce au chocolat*	• Pizza au poulet et au gingembre • Salade de roquette et de mizuna • Poire	• Salade verte tiède • *Brochettes de poisson au lait de coco* accompagnées de riz et de petits pois • *Sorbet à la mangue et émincé de mangue fraîche*	• *Poulet grillé à la purée de patates douces et de fenouil* avec des brocolis • *Tarte aux abricots et aux amandes*

En-cas et boissons

Vos besoins énergétiques commencent à augmenter : vous aurez peut-être besoin de grignoter quelques en-cas entre les repas. Vous trouverez des idées pages 27-29.

Si vous digérez difficilement ou que vous souffrez de brûlures d'estomac, mangez peu, mais souvent.

Vous avez faim lorsque vous allez vous coucher ? Prenez un verre de lait chaud ou un bol de céréales.

Pour mieux dormir, réduisez votre consommation de boissons contenant de la caféine.

37 à 40 semaines

Ces toutes dernières semaines vont peut-être vous sembler longues. Votre bébé est sur le point de naître. Son poids augmente tous les jours et vos besoins énergétiques sont au plus haut. Le moment est venu de prévoir quelques en-cas en prévision de votre départ pour l'hôpital.

Des aliments bons pour vous

Si vous attendez votre premier enfant, sachez qu'au cours des prochaines semaines, sa tête va commencer à s'engager dans le bassin, ce qui atténuera quelque peu la pression pesant sur votre estomac et vos organes internes. Jusque-là, vous sentirez sans doute qu'il vaut mieux faire des petits repas et grignoter quelques en-cas.

Chez beaucoup de femmes, c'est la période où le transit intestinal se ralentit, entraînant une constipation. Plusieurs facteurs se conjuguent en effet, à savoir la pression considérable exercée sur les intestins par le bébé, les changements hormonaux et la baisse de l'activité physique.

Mieux vaut prévenir que guérir. Si vous commencez à ressentir une gêne, buvez plus d'eau et augmentez votre ration de fibres (voir page 45). Bien sûr, le bébé appuie sur votre vessie et vous n'avez peut-être pas envie de boire davantage. Mais l'eau est essentielle pour que les fibres puissent gonfler et faciliter le transit. Évitez le thé ou le café, qui peuvent avoir l'effet inverse.

Des aliments bons pour votre bébé

À ce stade de la grossesse, les nerfs de votre bébé commencent à fabriquer leur enveloppe protectrice de myéline. Ce processus, qui se poursuit après la naissance, fait appel à la vitamine B_{12}, essentiellement présente dans les produits d'origine animale.

PROGRAMME DIÉTÉTIQUE

	Lundi	Mardi	Mercredi
Petit déjeuner	• Milk-shake à la banane et aux amandes • Petit pain aux raisins • Jus de fruit	• Petit pain croustillant avec de la confiture • Quartiers de pamplemousse • Jus de carotte, de pomme et de citron vert	• Salade de fruits d'hiver et yaourt • Petit pain avec de la confiture • Jus d'orange
Déjeuner	• Sardines au four sur pain aux herbes tout chaud et mesclun • Raisin	• Omelette au fromage râpé • Petit pain • Pêche ou banane	• Taco de poulet aux germes de soja • Part de gâteau de carottes aux épices • Milk-shake
Dîner	• Pizza aux champignons, aux asperges et à la roquette • Salade de chou rouge • Mousse à la rhubarbe	• Saumon en croûte à l'estragon avec pommes de terre nouvelles et petits pois • Brownie au chocolat et aux noix de pécan	• Côte d'agneau et fondue de tomates à la menthe avec de la semoule et des haricots verts • Glace et fruits en compote

Mangez régulièrement de la viande rouge maigre ou de la volaille et consommez de nombreux produits laitiers allégés. Si vous êtes végétarienne, prenez un complément vitaminique et des céréales pour petit déjeuner enrichies afin d'absorber suffisamment de vitamine B_{12}.

Préparez votre départ à l'hôpital

Le moment de l'accouchement approche. Préparez quelques en-cas et boissons à emporter à l'hôpital. Manger sera peut-être le cadet de vos soucis, mais si le travail se révèle particulièrement long, vous aurez grand besoin d'un en-cas.

Peu de recherches portent sur les besoins nutritionnels pendant l'accouchement. Par ailleurs, la politique en la matière varie d'un hôpital à l'autre, certains interdisant la prise d'aliments pendant le travail. Mieux vaut vous renseigner. Cette mesure vise principalement à éviter tout risque de régurgitation du contenu de l'estomac, risque qui demeure cependant fort limité (7 cas sur 10 millions d'accouchements, selon les estimations).

◆ Si vous vous en sentez l'envie, prenez un repas léger pendant la première phase du travail.

◆ Emportez quelques en-cas digestes pour le cas où vous auriez faim pendant le travail. Quelques petits beurres, des raisins secs ou des bonbons au dextrose (glucose) feront merveille.

◆ Conseillez à la personne qui vous accompagne de se préparer un pique-nique.

◆ En cas d'extrême fatigue pendant l'accouchement, le personnel pourra vous mettre sous perfusion pour que vous repreniez des forces.

Le point sur... *la vitamine K*

Essentielle à la coagulation du sang tout au long de notre vie, la vitamine K joue un rôle majeur dans la préparation de l'accouchement. En règle générale, on administre au nouveau-né une forte dose de vitamine K afin de prévenir tout risque, rare mais potentiellement mortel, de maladie hémorragique du nouveau-né.

Les légumes à feuilles vertes comme les brocolis, les choux de Bruxelles, le chou frisé ou les épinards, le melon, le chou-fleur, les haricots verts, les céréales pour petit déjeuner enrichies en vitamines, les pâtes et le pain complet.

Jeudi	Vendredi	Samedi	Dimanche
• Lait avec galette de céréales et émincé d'abricots • Jus de pamplemousse	• Porridge • Dés de melon et de mangue	• *Milk-shake à la fraise* • Lait avec des céréales	• Crêpes au jus de citron et au sirop d'érable • Pêche
• Salade de boulgour aux graines de citrouille avec émincé de poulet grillé • Yaourt à la grecque	• Légumes grillés au tofu • Petit pain croustillant • Pruneaux ou tranche d'ananas	• *Soupe de champignons aux noix* • Petit pain aux céréales • *Croustade de poire au gingembre*	• *Friand à la ricotta et aux pommes* • Brownie au chocolat et aux noix de pécan
• Duo de poire rouge et de poire verte aux noix • Morceau de baguette toute chaude • *Pudding aux dattes et au chocolat avec sa crème fraîche*	• Poulet aux tomates cerises • Risotto aux abricots et au gingembre • Salade de fraises, de poires et de fruits de la passion	• *Jalousie de poivron rouge et de tomates avec du riz, des petits pois et des brocolis* • Entremets meringué à l'abricot	• Bœuf farci aux oignons rouges et aux raisins secs avec du riz et des haricots verts • Brochettes d'ananas et de papaye grillées

En-cas et boissons

Si vous avez du mal à avaler un repas complet, contentez-vous d'une ou deux petites portions du plat principal. Vous mangerez un dessert ou un en-cas un peu plus tard.

Vous avez faim au moment d'aller vous coucher ou pendant la nuit ? Pensez aux en-cas de la page 46.

Buvez beaucoup d'eau pour prévenir la constipation : au moins 6 à 8 grands verres.

Limitez votre consommation de boissons contenant de la caféine (café, thé, cola, chocolat). Vous réduirez ainsi les risques d'insomnie.

40+ semaines

Votre bébé est enfin là ! Pensez à prendre soin de lui, mais aussi de vous. Toutes les recettes de notre programme diététique sont faciles et rapides à réaliser et vous permettront de faire le plein d'énergie pendant cette période où vous serez fort occupée.

Au cours des prochaines semaines, vous passerez le plus clair de votre temps à nourrir votre bébé et subirez sans doute le contrecoup de nuits en pointillé. Vous devez bien vous nourrir et boire suffisamment pour faire le plein d'énergie et de nutriments et, si vous allaitez, offrir le meilleur lait à votre bébé.

Des aliments bons pour vous

Une mère qui allaite a besoin de 430 à 570 calories supplémentaires par jour. Certes, votre organisme va puiser dans les réserves de graisse constituées pendant la grossesse, mais vous devez aussi faire de vrais repas. Boire beaucoup favorise la production de lait. Si vous donnez à votre bébé du lait maternisé, vos besoins caloriques sont moindres.

Des aliments bons pour votre bébé

Allaiter ou non relève d'un choix personnel. Voici quelques conseils pour vous aider à prendre une décision. Du point de vue nutritionnel, l'allaitement est excellent pour le bébé. Il lui permet de se protéger contre les infections car les anticorps passent dans le lait maternel. Il saura mieux se défendre contre la toux, les rhumes et les maux d'estomac. Si vous pouvez l'allaiter pendant les 3 ou 4 premiers mois, cette protection se prolongera jusqu'à 1 an. Les bébés nourris au sein ont moins de risque de développer de l'asthme, de l'eczéma ou des allergies.

La période d'allaitement doit être un moment de bonheur. Devoir se restreindre sur le plan alimentaire risque de gâcher quelque peu ce plaisir. Toutefois, les bébés peuvent avoir du mal à supporter certains aliments qui provoquent chez eux

PROGRAMME DIÉTÉTIQUE	Lundi	Mardi	Mercredi
Petit déjeuner	• Cocktail vitalité à l'abricot et à la pêche • Pain aux raisins	• Lait avec muesli et émincé d'abricots • Jus d'orange	• Tartine de baguette grillée avec du bacon à la tomate • Jus de pamplemousse
Déjeuner	• Petit pain en couronne à la crème de fromage et à la romaine • Pomme ou poire	• Haricots à la tomate sur toast • Yaourt à l'émincé d'abricots • Petit gâteau de flocons d'avoine	• Soupe de fenouil aux amandes • Fromage et petit pain • Pêche
Dîner	• Fusilli lunghi au bacon et à la roquette • Salade de cresson • Sorbet aux fruits de la passion accompagné d'ananas	• Carbonade de bœuf à l'ancienne avec pommes de terre nouvelles et courgettes • Pudding de pain perdu au panettone	• Paella • Mousse aux groseilles • Cookie d'avoine aux canneberges

Maintenant que votre enfant est né, l'idée de retrouver la ligne vous tracasse sans doute. Ne soyez pas trop exigeante envers vous-même. Vous devez bien manger pour disposer de suffisamment d'énergie.

La vie continue...

Retrouver sa ligne

Mangez raisonnablement Une alimentation équilibrée, avec beaucoup de fruits et de légumes, de viande maigre, de poisson, de haricots secs et d'aliments riches en hydrates de carbone, comme le pain ou les pâtes, vous aidera à retrouver la ligne.

Faites un peu d'exercice Sortez souvent pour de petites promenades en poussant votre bébé dans son landau. Vous ferez ainsi un peu d'exercice et en profiterez pour prendre l'air.

Attention aux restrictions ! Ne soyez pas tentée de vous lancer dans un régime sévère ou de prendre des produits amaigrissants. Cela vous fatiguerait et vous auriez encore plus de mal à perdre durablement du poids.

des coliques. Les coupables sont le chou, les brocolis, le chou-fleur, les oignons, l'ail, les agrumes, le raisin et le chocolat.

Si votre bébé semble gêné lorsque vous l'allaitez après avoir mangé l'un de ces aliments, remplacez-le par un autre produit de même valeur nutritionnelle. Demandez l'avis de votre médecin avant de supprimer totalement un aliment : vous éviterez ainsi tout risque de carence.

La caféine peut aussi perturber votre bébé. Réduisez votre consommation de thé, de café et de boissons au cola. Lorsque vous buvez de l'alcool, une petite quantité passe dans le lait maternel, modifiant son goût et son odeur. Le bébé a alors du mal à manger, à digérer et à dormir. Mieux vaut éviter l'alcool avant d'allaiter et, dans tous les cas, limiter votre consommation.

Êtes-vous allergique ?

Si vous-même, votre conjoint ou vos enfants, souffrez d'eczéma, du rhume des foins ou d'une allergie alimentaire, parlez-en à votre médecin. Il pourra vous conseiller de retarder le moment où vous ferez goûter à votre bébé certains aliments comme le lait, les œufs, le blé, les agrumes, le poisson, les noix et fruits secs ou le soja.

Certaines femmes qui allaitent suppriment d'emblée ces aliments de leur alimentation. Une telle décision ne doit être prise qu'après avis médical ou consultation d'un nutritionniste.

Jeudi	Vendredi	Samedi	Dimanche	
· Yaourt à la grecque et abricots marinés au jus d'orange	· Lait et pétales de blé enrichis en son à l'émincé de poire · Yaourt aux fruits · Jus de fruit	· *Cocktail vitalité de mangue et de papaye*	· Gaufres au sirop d'érable et émincé de fraises · *Jus d'orange et de melon*	### En-cas et boissons Vous ressentez une grande lassitude ? Mangez régulièrement et aussi équilibré que possible.
· *Friand à la ricotta et aux pommes* avec salade de cresson · *Salade de chou à l'orientale*	· Sandwich de pain de mie au jambon · *Crème d'avocat au fromage* avec des longuets · Pomme	· *Roulade tiède au fromage* avec salade et petit pain chaud · Orange ou banane	· Sandwich à l'hoummos et à la salade · Kiwi au fromage blanc	Pensez aux soupes et aux en-cas que vous avez mis au congélateur. Si vous êtes trop fatiguée ou que vous ne pouvez pas faire la cuisine, préparez l'un des milk-shakes dont vous trouverez la recette pages 79-83.
· Penne au saumon et aux asperges avec une salade verte · Brochettes d'ananas et de papaye grillées	· *Risotto au chorizo et aux champignons* accompagné de carottes et de petits pois · *Crème glacée à la mangue et aux fruits de la passion*	· Jus de fruit · *Gigot d'agneau aux haricots* accompagné d'épinards à la vapeur · *Gâteau de riz au safran et au citron*	· *Goulasch de bœuf* avec pommes de terre au four, petits pois et carottes · *Croustade de poire au gingembre*	Si vous allaitez, buvez de grands verres d'eau tout au long de la journée. Nourrir votre bébé peut prendre fort longtemps. Prévoyez quelques fruits séchés et une boisson à portée de main pour un petit en-cas.

Recettes

RECETTES VITE FAITES

Soupes • Crèmes et petits en-cas à tartiner et à grignoter

Pizzas, crêpes et feuilletés

Pâtes et céréales • Cocktails de fruits

Soupes

Quelques bonnes idées pour agrémenter vos soupes

Voici quelques petites recettes de croûtons moins gras et plus savoureux que ceux du commerce pour mettre la dernière main à une soupe, la rendre plus appétissante et plus riche en nutriments. Bien entendu, ils sont meilleurs préparés à la dernière minute, mais ils se conserveront parfaitement un jour ou deux dans une boîte hermétique.

croûtons de polenta

Découpez votre polenta en dés de 1 cm que vous ferez dorer dans 1 ou 2 cuillères d'huile de colza bien chaude. Égouttez sur du papier absorbant, poivrez et assaisonnez d'herbes.

croûtons de polenta à l'ail

Pilez 2 gousses d'ail que vous ferez revenir à la poêle dans 1 ou 2 cuillères à soupe d'huile de colza bien chaude, avant d'ajouter les dés de polenta, de 1 cm environ. Laissez dorer légèrement puis égouttez sur du papier absorbant avant de servir.

croûtons de focaccia grillés au four

Coupez une focaccia (aux tomates séchées ou au romarin, par exemple) en petites bouchées. Disposez-les sur la plaque du four et faites cuire à 160°C (thermostat 5) de 15 à 20 minutes, jusqu'à ce qu'elles soient dorées et croustillantes.

croûtons à l'huile de noix

Coupez en dés un morceau de pain rassis (de quelque type que ce soit). Placez-les sur la plaque du four et laissez dorer de 15 à 20 minutes à 160°C, jusqu'à ce qu'ils soient grillés et croustillants. Retirez du four et arrosez d'un filet d'huile de noix.

Quelques idées de garniture

Voici quelques idées originales pour jouer la carte du goût, de la texture et de la couleur et personnaliser vos soupes, sans forcément passer par la traditionnelle cuillère de crème fraîche et ses inévitables calories superflues.

Ciboulette fraîche ciselée
Noix muscade râpée
Paprika
Crème allégée
Menthe fraîche ou basilic ciselés
Amandes effilées grillées
Pignons
Fines tranches de chorizo
Rondelles d'oignon rouge grillées

Soupe marocaine aux épices

Un contraste de saveurs douces et épicées caractéristique de la cuisine d'Afrique du Nord. Ajoutez-y quelques croûtons et vous obtiendrez un plat complet.

Temps de préparation : **15 minutes** ⓥ
Temps de cuisson : **20 à 25 minutes**
Pour **4 personnes**

Riche en : **calcium, fibres, fer, magnésium, protéines** et **vitamines B et C**

- *1 cuillère à soupe d'huile d'olive*
- *2 oignons épluchés et hachés*
- *3 gousses d'ail épluchées et pressées*
- *1 cuillère à café de cumin en poudre*
- *1/4 de cuillère à café de poivre de Cayenne*
- *1 cuillère à café de cannelle*
- *410 g de pois chiches (en boîte) égouttés et rincés*
- *10 abricots secs coupés en petits morceaux*
- *100 g d'épinards hachés surgelés et décongelés*
- *Le jus d'un citron*
- *200 ml de jus d'orange non sucré*
- *500 ml de bouillon de légumes*
- *Sel et poivre noir à volonté*

■ Dans une grande casserole, faire chauffer l'huile et laisser blondir les oignons et l'ail pendant 5 minutes.
■ Ajouter le cumin, le poivre de Cayenne, la cannelle et les pois chiches, couvrir et laisser cuire 2 à 3 minutes à petit feu.
■ Ajouter ensuite les abricots, les épinards, le jus de citron et d'orange et, pour finir, le bouillon. Porter à ébullition en remuant de temps en temps. Couvrir et laisser frémir 20 à 25 minutes. Rectifier l'assaisonnement.
■ Passer la préparation au mixer ou au robot afin d'obtenir une soupe épaisse. Si nécessaire, rajouter un peu de bouillon ou d'eau pour la fluidifier. Verser la soupe dans une casserole propre pour la faire réchauffer. Rectifier l'assaisonnement avant de servir.

Soupe d'épinards au cumin

Cette soupe, préparée en un clin d'œil, décline couleurs et saveurs subtiles. Les amandes moulues lui apportent une note surprenante et une consistance plus onctueuse.

Temps de préparation : **10 minutes** ⓥ
Temps de cuisson : **15 à 20 minutes**
Pour **4 personnes**

Riche en : **bêta-carotène, fibres, folates, fer** et **vitamine C**

- *1 cuillère à soupe d'huile d'olive*
- *1 oignon épluché et haché*
- *2 cuillères à soupe de poudre d'amandes*
- *1 cuillère à café de cumin en poudre*
- *250 g d'épinards frais, lavés et égouttés*
- *300 ml de bouillon de légumes*
- *Sel et poivre noir à volonté*
- *1 cuillère à soupe de crème fraîche, épaisse ou liquide, agrémentée de noix muscade râpée au moment de servir*

■ Dans une grande casserole, faire chauffer l'huile, puis mettre l'oignon à revenir à feu doux pendant 2 ou 3 minutes.
■ Ajouter les amandes et le cumin, mélanger et laisser cuire à petit feu pendant 1 minute.
■ Ajouter les épinards, bien mélanger, verser le bouillon et couvrir. Laisser réduire les épinards à petit feu 10 à 15 minutes, en remuant de temps en temps.
■ Passer la soupe au mixer ou au robot jusqu'à ce qu'elle ait une consistance bien onctueuse, en ajoutant un peu de bouillon ou d'eau bouillante, si nécessaire. Assaisonnez selon votre goût et incorporez une cuillerée de crème agrémentée de noix muscade râpée au moment de servir.

Soupe de champignons aux noix

Cette soupe associe différents champignons très parfumés, tels que pleurotes, shiitake, champignons des prés et des bois. Les noix ajoutent une pointe de saveur et donnent une consistance légèrement granuleuse.

Temps de préparation : **10 minutes**
temps de cuisson : **35 à 40 minutes**
Pour **4 personnes**

Riche en : **fer** et **sélénium**

- *1 cuillère à soupe d'huile d'olive*
- *2 petits oignons épluchés et hachés*
- *500 g de champignons variés grossièrement coupés*
- *50 g de noix*
- *1 cuillère à soupe de farine*
- *1 l de bouillon de légumes*
- *2 à 3 cuillères à soupe de Xérès sec*
- *Noix muscade à volonté*
- *Sel et poivre noir*

■ Dans une grande casserole, faire chauffer l'huile et laisser revenir les oignons à petit feu, couverts, pendant environ 5 minutes. Ajouter les champignons coupés en morceaux, couvrir et laisser cuire 5 minutes.
■ Mélanger les noix, la farine et le bouillon, puis porter à ébullition sans cesser de remuer. Baisser le feu, couvrir et laisser mijoter doucement pendant 20 ou 25 minutes.
■ Retirer du feu et laisser refroidir légèrement avant de passer au mixer ou au robot pour obtenir une préparation homogène. Verser dans une casserole propre, ajouter le Xérès et assaisonner largement de noix muscade et de poivre. Resaler si nécessaire.
■ Porter doucement à ébullition afin que l'alcool s'évapore sans que la soupe ne perde pour autant son fumet. Servir.

Soupe de fenouil aux amandes

Une soupe délicate et crémeuse, aux saveurs douces, idéale lorsque vous n'avez guère envie de manger. Le fenouil facilite la digestion et soulage les maux d'estomac.

Temps de préparation : **10 minutes**
Temps de cuisson : **30 minutes**
Pour **4 personnes**   (v)

Riche en : **calcium** et **vitamine E**

- *1 cuillère à soupe d'huile de colza*
- *1 oignon épluché et haché*
- *1 fenouil coupé en gros morceaux*
- *4 branches de céleri coupées en gros morceaux*
- *2 cuillères à café de graines de fenouil moulues*
- *100 g de poudre d'amandes*
- *700 ml d'eau*
- *Quelques amandes effilées grillées (facultatif) pour décorer*
- *Sel et poivre noir à volonté*

■ Dans une grande casserole, faire chauffer l'huile et laisser revenir à petit feu l'oignon, le fenouil et le céleri, pendant environ 10 minutes.

■ Ajouter les graines de fenouil moulues et la poudre d'amandes et laisser cuire 1 ou 2 minutes.

■ Verser l'eau et porter à ébullition en remuant régulièrement.

■ Couvrir et laisser mijoter pendant 30 minutes.

■ Passer la soupe au mixer ou au robot pour obtenir une préparation homogène et onctueuse. Verser dans une casserole propre et réchauffer à petit feu. Assaisonner à volonté. Agrémenter d'amandes effilées et saupoudrer généreusement de poivre fraîchement moulu au moment de servir.

Soupe de brocolis à la menthe

Cette délicieuse soupe à la menthe, rafraîchissante et facile à préparer, se congèle parfaitement. Les brocolis comptent parmi les aliments vedettes (voir page 122). Une valeur sûre, à consommer régulièrement.

Temps de préparation : **10 minutes** (V)
Temps de cuisson : **30 à 35 minutes**
Pour **4 à 6 personnes**

Riche en : **bêta-carotène, calcium, folates, fer et vitamine C**

- *2 cuillères à soupe d'huile d'olive*
- *2 oignons épluchés et hachés*
- *750 g de brocolis coupés en gros morceaux*
- *750 ml de lait écrémé ou demi-écrémé*
- *250 ml d'eau*
- *1 bouillon cube de légumes*
- *5 belles feuilles de menthe fraîche*
- *Sel et poivre noir à volonté*

■ Dans une grande casserole, faire chauffer l'huile et laisser blondir l'oignon pendant 5 minutes à petit feu. Ajouter les brocolis et laisser cuire 3 à 5 minutes supplémentaires.
■ Ajouter le lait et l'eau, le bouillon cube écrasé et les feuilles de menthe. Porter doucement à ébullition, sans cesser de remuer, puis couvrir et laisser mijoter de 20 à 25 minutes, jusqu'à ce que l'oignon et les brocolis soient fondants.
■ Retirer du feu et passer au mixer ou au robot pour obtenir une préparation onctueuse. Verser dans une casserole propre et réchauffer à petit feu. Assaisonner et servir agrémenté de croûtons (voir page 57) et saupoudré généreusement de poivre noir fraîchement moulu.

Soupe de courge butternut aux carottes

Onctueuse et crémeuse à souhait, cette soupe facile à préparer peut se congeler et vous rendra bien des services pour un déjeuner rapide ou après la naissance de votre bébé.

Temps de préparation : **10 minutes** (V)
Temps de cuisson : **40 minutes**
Pour **4 à 6 personnes**

Riche en : **bêta-carotène**

- *2 cuillères à soupe d'huile d'olive*
- *1 oignon épluché et haché*
- *6 grosses carottes épluchées et râpées*
- *1 petite courge butternut (ou la moitié d'une grosse) épluchée, évidée et coupée en dés*
- *750 ml de bouillon de légumes*
- *1/2 cuillère à café de noix muscade en poudre*
- *150 ml de crème liquide (facultatif)*
- *Sel et poivre noir à volonté*

■ Dans une grande casserole, faire chauffer l'huile et laisser revenir l'oignon à petit feu, couvert, pendant 5 minutes.
■ Ajouter les carottes et les morceaux de butternut, mélanger, couvrir et laisser cuire pendant 10 minutes environ à feu doux, en remuant de temps en temps.

■ Mélanger le bouillon et la noix muscade et porter à ébullition. Couvrir à nouveau et laisser mijoter 25 à 30 minutes, jusqu'à ce que les légumes soient fondants.
■ Passer au mixer ou au robot pour obtenir une préparation onctueuse. Assaisonner selon son goût, en rajoutant un peu de bouillon ou d'eau bouillante si la soupe reste trop épaisse. Remettre dans la casserole, ajouter la crème et laisser 1 minute sur le feu avant de servir.

Et pourquoi pas... ?
Pour découvrir d'autres saveurs, remplacez les carottes par des panais ou ajoutez 2 cuillères à soupe de poudre d'amandes dans la fondue d'oignons.

Soupe de brocolis à la menthe avec croûtons de focaccia grillés au four

Soupe d'orge au poulet et aux boulettes

Véritable plat complet, cette soupe contient des légumes, du poulet, des boulettes et de l'orge. Elle se congèle très bien et vous pouvez l'emporter au travail, en hiver, pour manger quelque chose de chaud à midi. Profitez du week-end pour en préparer une grosse marmite. D'ailleurs, elle fera la joie de toute la famille, car les enfants raffolent des petites boulettes de chair à saucisse.

Temps de préparation : **20 à 25 minutes**
Temps de cuisson pour le bouillon :
2 heures 30
Temps de cuisson pour la soupe :
30 minutes
Pour **4 personnes**

Riche en : **fibres, protéines et vitamines B et C**

- *2 grosses cuisses de poulet sans la peau*
- *2 feuilles de laurier*
- *6 grains de poivre*
- *1,5 l d'eau*
- *25 g d'orge*
- *1 oignon épluché et finement haché*
- *1 cuillère à soupe d'huile de colza*
- *200 g de pak choï ou autre légume vert chinois, lavé et émincé*
- *1 tranche de pain rassis écrasée en chapelure*
- *100 g de chair à saucisse*
- *Le zeste d'un citron*
- *Sel et poivre noir à volonté*

■ Dans une grande casserole, mettre les morceaux de poulet, les feuilles de laurier, les grains de poivre et l'eau, puis porter à ébullition.
■ Couvrir et laisser bouillir pendant 1 heure à petit feu. Écumer si nécessaire, puis ajouter l'orge. Laisser mijoter 1 heure à 1 heure 30, jusqu'à ce que le poulet soit bien tendre et le bouillon parfumé. Sortir les cuisses de poulet du bouillon pour les laisser refroidir. Retirer les grains de poivre ainsi que les feuilles de laurier.
■ Dans une grande casserole propre, faire blondir l'oignon dans l'huile, à petit feu, pendant 10 minutes environ.

Pendant ce temps, désosser les cuisses de poulet et les émietter.
■ Dans la casserole contenant les oignons, ajouter le poulet, le pak choï et le bouillon (avec l'orge) et porter à ébullition. Saler, poivrer et laisser frémir le temps de préparer les petites boulettes.
■ Dans le robot, mettre la chapelure, la chair à saucisse et le zeste de citron. Mixer le tout.
■ Avec les mains mouillées, confectionner 12 petites boulettes, puis les plonger dans la soupe frémissante. Laisser cuire pendant 10 minutes, rectifier l'assaisonnement et servir.

Et pourquoi pas...?

La cuisson du bouillon est un peu longue. Préparez-le à l'avance : il se gardera un jour ou deux au réfrigérateur ou au congélateur. Si vous n'avez vraiment pas le temps, remplacez les cuisses de poulet par des morceaux de blanc émincés et utilisez un bouillon cube de volaille.

Crèmes et petits en-cas à tartiner et à grignoter

Crème d'avocat au fromage

Idéales pour un petit en-cas, les crèmes et autres préparations à tartiner vous apportent toutes sortes de nutriments essentiels. Les avocats étant assez gras, utilisez de préférence un fromage affiné maigre. Les avocats sont particulièrement riches en vitamine E, censée favoriser la fécondité. Si vous envisagez une grossesse, ne vous en privez pas !

Temps de préparation : **5 minutes** Ⓥ
Pour **2 personnes**

Riche en : **calcium** et **vitamines B$_2$ et E**

- *1 gros avocat*
- *2 cuillères à soupe de jus de citron*
- *1/2 cuillère à café de Tabasco (facultatif)*
- *50 g de cheddar allégé, râpé*
- *Sel et poivre noir à volonté*

■ Écrasez l'avocat avec le jus de citron et le Tabasco (facultatif). Ajoutez le fromage, mélangez et assaisonnez à votre convenance.
■ Servez sans attendre, avec des pains pita coupés en lanières ou des longuets.

Crème de poivrons rouges grillés

Cette délicieuse préparation végétarienne associe des ingrédients aux saveurs délicates. Elle regorge de vitamine C et de bêta-carotène. Idéale à l'heure du déjeuner, sur des tartines croustillantes à souhait, accompagnée d'une assiette de mesclun.

Temps de préparation : **10 minutes** Ⓥ
Temps de cuisson : **30 minutes**
Pour **4 personnes**

Riche en : **bêta-carotène, calcium** et **vitamine C**

- *2 poivrons rouges coupés en gros morceaux*
- *1/2 oignon rouge épluché et haché*
- *2 cuillères à soupe d'huile d'olive*
- *5 belles feuilles de basilic grossièrement coupées*
- *1 gousse d'ail épluchée et hachée*
- *100 g de mascarpone*
- *1 cuillère à café de purée de tomates séchées*
- *2 cuillères à café de jus de citron*
- *Poivre noir à volonté*

■ Préchauffer le four à 200°C.
■ Poser les poivrons et l'oignon sur la plaque du four, les arroser d'un filet d'huile et les faire griller pendant 30 minutes environ, jusqu'à ce que les poivrons soient bien ramollis.
■ Laisser refroidir durant quelques minutes, puis verser dans le bol du robot, avec les feuilles de basilic et mixer légèrement. Ajouter le reste des ingrédients et mixer à nouveau pour obtenir une préparation homogène.
■ Présenter la crème dans des petits ramequins individuels ou dans un saladier, accompagnée de pain aux noix ou aux céréales grillées et d'une salade verte bien croquante.

Crème de poivrons rouges grillés

Crème de truite fumée à la ricotta

Légère, cette crème délicatement parfumée à l'aneth est une excellente façon de profiter des bienfaits des poissons gras.

Temps de préparation : **5 minutes**
Pour **2 à 3 personnes**

Riche en : **protéines** et **acides gras oméga 3**

- *150 g de filet de truite fumée*
- *Jus et zeste d'un citron*
- *100 g de ricotta*
- *Poivre noir à volonté*
- *2 jolis brins d'aneth*

■ Dans un saladier de taille moyenne, écraser légèrement les filets de truite à la fourchette, ajouter le jus et le zeste de citron, puis la ricotta. Bien mélanger le tout.
■ Assaisonner de poivre noir, puis ajouter l'aneth ciselé. Mélanger à nouveau et mettre au frais. Servir sur des tranches de pain croustillant.

Crème de tomates au chili

Une crème à faible teneur en matière grasse, préparée en un clin d'œil et idéale pour grignoter en attendant l'heure du dîner. Si vous n'aimez pas le piment, n'en mettez pas : le résultat sera tout aussi délicieux.

Temps de préparation : **5 minutes** Ⓥ
Pour **4 à 6 personnes**

Riche en : **bêta-carotène, fibres** et **vitamine C**

- *200 de tomates cerises bien mûres*
- *10 g de coriandre fraîche*
- *1 ciboule émincée*
- *1 petit piment rouge coupé en deux et évidé (facultatif)*
- *2 cuillères à soupe de coulis de tomate ou de chutney de tomates*
- *Poivre noir à volonté*

■ Mettre tous les ingrédients dans le robot et mixer légèrement pour obtenir une préparation assez épaisse.
■ Servir accompagné de longuets ou de pain pita coupé en lanières.

Petite macédoine de maïs aux poivrons

Un excellent en-cas à tartiner sur des scones, par exemple, à l'heure du déjeuner. Poivrons et maïs sont particulièrement riches en vitamine C.

Temps de préparation : **10 minutes** ⓥ
Temps de cuisson : **10 minutes**
Pour **2** ou **3 personnes**

Riche en : **bêta-carotène**, **fibres**, **magnésium** et **vitamine C**

- *1 épi de maïs frais ébarbé*
- *1/2 poivron rouge finement haché*
- *2 oignons nouveaux finement émincés*
- *1 cuillère à dessert d'huile d'olive*
- *1/2 cuillère à café de paprika*
- *1 cuillère à soupe de coriandre fraîche hachée*
- *Poivre noir à volonté*

■ Faire cuire le maïs à l'eau bouillante pendant 10 minutes environ (il doit rester légèrement croquant), puis le laisser refroidir et l'égrener dans un grand bol.
■ Ajouter le reste des ingrédients et bien mélanger le tout. Pour obtenir une préparation ayant une consistance plus fine, passer légèrement au mixer ou au robot, en veillant à laisser des petits morceaux. Assaisonner et servir.

Et pourquoi pas...?
Dans cette recette, nous utilisons un épi de maïs frais. Pour l'égrener plus facilement sans en abîmer les grains, faites tomber les premiers grains avec la pointe d'un couteau, puis continuez rangée par rangée. En remplaçant le maïs frais par du maïs surgelé ou en boîte, vous obtiendrez une préparation plus liquide, facile à tartiner.

Pizzas, crêpes et feuilletés

Pizza aux champignons, aux asperges et à la roquette

Temps de préparation : **10 minutes** (V)
Temps de cuisson : **10 à 12 minutes**
Pour **2 personnes**

Riche en : **calcium, fibres, folates, protéines** et **vitamine C**

- *2 cuillères à soupe de purée de tomates*
- *1 gousse d'ail pilée*
- *1 pâte à pizza de 23 cm de diamètre préparée par vos soins ou achetée toute prête*
- *50 g de champignons de Paris émincés*
- *6 pointes d'asperges*
- *125 g de mozzarella coupée en tranches fines*
- *Poivre noir à volonté*
- *25 g de feuilles de roquette*
- *Quelques olives noires*

■ Préchauffer le four à 220°C.
■ Étaler la purée de tomate et l'ail pilé sur le fond de pâte, disposer les champignons et les pointes d'asperges et finir par les tranches de mozzarella. Poivrer.
■ Faire cuire la pizza 10 à 12 minutes, jusqu'à ce que la pâte soit croustillante et le fromage totalement fondu.
■ Sortir du four et décorer de quelques feuilles de roquette et d'olives noires avant de servir.

les produits laitiers

Cheddar

Ricotta

Lait

Yaourt

Le saumon et les câpres donnent à cette pizza un petit air de nouveauté et vous apportent des acides gras oméga 3 en quantité. Servez-la accompagnée d'une salade verte ou de brocolis cuits à la vapeur.

Temps de préparation : **5 minutes**
Temps de cuisson : **10** à **12 minutes**
Pour **2 personnes**

Riche en : **calcium, iode, acides gras oméga 3, protéines, vitamines C et D**

- *410 g de tomates en conserve égouttées et coupées en morceaux*
- *1 gousse d'ail épluchée et pilée*
- *1 pâte à pizza de 23 cm achetée toute prête ou préparée par vos soins*
- *2 cuillères à soupe de crème fraîche allégée*
- *100 g de filet de saumon sans la peau, émietté*
- *2 cuillères à soupe de câpres*
- *125 g de mozzarella coupée en tranches*
- *Poivre noir à volonté*

■ Préchauffer le four à 220°C.
■ Étaler les tomates et l'ail sur la pâte à pizza. Déposer par-dessus la crème fraîche, puis le saumon. Saupoudrer de câpres, puis terminer par les tranches de mozzarella. Poivrer légèrement.
■ Enfourner la pizza pour 10 à 12 minutes de cuisson, jusqu'à ce que la pâte soit dorée et le fromage joliment gonflé. Servir sans attendre.

Les produits laitiers – lait, fromages et yaourts – sont très riches en calcium, indispensable au bon développement des os et des dents. Ils constituent également une source très appréciable de protéines pour les femmes végétariennes. Concernant les fromages, relisez page 20 les quelques précautions à prendre pendant la grossesse.

Cheddar Numéro un des fromages pendant la grossesse pour sa teneur en calcium, il existe en version allégée, enrichie en calcium. Ce fromage apporte également du phosphore, autre élément nécessaire en quantité non négligeable pour le bon développement des os. Grignoter quelques dés de cheddar allégé stimule la salivation : une excellente façon de conserver des dents en bonne santé.

Ricotta Ce fromage maigre (11 % de matière grasse seulement) contient davantage de calcium que d'autres fromages frais de type cottage cheese et se prête à la préparation de certains plats, comme la tarte aux épinards et à la ricotta (voir page 91). Vous pouvez également en garnir une ciabatta grillée, agrémentée de quelques rondelles de tomates au basilic arrosées d'un filet d'huile d'olive.

Lait Tous les laits, qu'ils soient écrémés ou entiers, sont riches en calcium, en riboflavine et en protéines. Consommez-en régulièrement, nature, sur des céréales ou dans toutes sortes de plats et de sauces.

Yaourt Riche en calcium et en phosphore, indispensables au bon développement des os du bébé, mais aussi en vitamine B$_2$ pour l'apport énergétique, le yaourt est un aliment incontournable pendant la grossesse. Un pot de yaourt de 150 g contient quelque 200 mg de calcium – soit un tiers de l'apport journalier recommandé. Choisissez de préférence des yaourts nature, si possible écrémés, qui se prêtent à l'élaboration de nombreux plats.

Pizza au poulet et au gingembre

Que vous souhaitiez réveiller vos papilles gustatives ou tenir en échec ces nausées si désagréables, le gingembre est l'ingrédient qu'il vous faut. Servez cette pizza accompagnée d'un duo de poire rouge et de poire verte aux noix (voir page 116) et de tranches de ciabatta tièdes.

Temps de préparation : **10 minutes**
Temps de cuisson : **10 à 12 minutes**
Pour **2 personnes**

Riche en : **calcium, protéines** et **vitamine C**

- *2 cuillères à soupe de purée de tomates*
- *1 gousse d'ail épluchée et pilée*
- *1 pâte à pizza de 23 cm préparée par vos soins ou achetée toute prête*
- *1 blanc de poulet cuit et émincé*
- *10 tomates cerises coupées en deux*
- *2,5 cm de gingembre frais finement râpé*
- *125 g de mozzarella coupée en tranches*
- *Poivre noir à volonté*

■ Préchauffer le four à 220°C.
■ Étaler sur la pâte la purée de tomate et l'ail. Disposer les morceaux de poulet et les tomates cerises puis saupoudrer de gingembre. Couvrir le tout de tranches de mozzarella et poivrer.
■ Enfourner la pizza et la laisser cuire 10 à 12 minutes, jusqu'à ce que la pâte soit dorée et le fromage joliment gonflé. Servir sans attendre.

Friands à la ricotta et aux pommes

Voici des petits feuilletés sortant de l'ordinaire, faits de saucisses à faible teneur en matière grasse et d'une pâte allégée à la ricotta. Simple comme bonjour à préparer, cette pâte est tout simplement délicieuse. Augmentez les proportions et congelez quelques friands que vous mangerez un jour ou l'autre au déjeuner. Et si vous avez déjà des enfants, n'ayez crainte : ils se régaleront à coup sûr !

Temps de préparation : **25 minutes**
Temps de cuisson : **20 à 25 minutes**
Pour **10 friands**

Riche en : **calcium, protéines** et **vitamines B$_1$** et **C**

Pour la pâte à la ricotta :
- *200 g de farine*
- *50 g de margarine de tournesol*
- *1 cuillère à soupe d'huile d'olive ou de colza*
- *100 g de ricotta*
- *3 à 4 cuillères à soupe d'eau*
- *1 œuf battu pour dorer*

Pour la garniture :
- *1 cuillère à soupe d'huile d'olive ou de colza*
- *1 petit oignon épluché et finement haché*
- *1 branche de céleri finement hachée*
- *1 pomme à cuire épluchée et râpée*
- *200 g de saucisses maigres sans la peau*
- *1 cuillère à café de thym séché*

■ Préchauffer le four à 190°C.
■ Pour préparer la pâte, tamiser la farine dans un saladier puis mélanger la margarine du bout des doigts. Ajouter l'huile, la ricotta et une quantité d'eau suffisante pour confectionner une boule de pâte souple et malléable. Envelopper la pâte de film alimentaire et mettre au réfrigérateur pendant la préparation de la farce.
■ Dans une poêle, faire chauffer l'huile et mettre à fondre l'oignon et le céleri à feu doux pendant 4 à 5 minutes. Laisser refroidir puis passer au robot avec la pomme, la chair des saucisses et le thym. Mixer très légèrement pour amalgamer les ingrédients.
■ Étaler la pâte, puis découper 10 ronds de 10 à 12 cm de diamètre. Badigeonner d'eau la bordure de chaque rond de pâte et y déposer 1 cuillère à soupe de farce. Replier de façon à former une demi-lune et fermer hermétiquement les bords en les pinçant fermement.
■ Disposer les friands sur la plaque du four, dorer au jaune d'œuf et laisser cuire pendant 20 à 25 minutes, jusqu'à ce qu'ils soient dorés à souhait. Servir, par exemple, avec une salade de pois gourmands et d'avocat à la sauce au basilic (voir page 117).

Strudel de sardines au citron

Jalousie de poivron rouge et de tomates

Un nom plein d'élégance pour une entrée ou un plat léger, on ne peut plus facile à réaliser. La pâte feuilletée gonfle autour des légumes méditerranéens grillés, pour un résultat du plus bel effet. Poivrons rouges et tomates sont extrêmement riches en vitamines anti-oxydantes, excellentes à tout âge.

Temps de préparation : **15 minutes**   ⓥ
Temps de cuisson : **20 à 25 minutes**
Pour **4 personnes**

Riche en : **bêta-carotène** et en **vitamines C et E**

- *340 g de pâte feuilletée*
- *2 cuillères à soupe de purée de tomates séchées*
- *1/2 gros poivron rouge coupé en dés*
- *10 à 15 tomates cerises coupées en deux*
- *8 feuilles de basilic frais émiettées*
- *1 cuillère à soupe d'huile d'olive*
- *Poivre noir à volonté*
- *1 jaune d'œuf pour dorer*

■ Préchauffer le four à 220°C.
■ Abaisser la pâte pour obtenir un rectangle de 30 x 23 cm. La déposer délicatement sur une plaque à pâtisserie légèrement huilée et pratiquer des entailles sur le pourtour, à 0,5 cm du bord (afin que la pâte gonfle). Avec la pointe d'un couteau, tracer des croisillons sur un rectangle de 27 x 20 cm, au centre du premier rectangle de pâte.
■ Étaler la purée de tomates sur la partie striée, puis disposer les moitiés de tomates cerises. Saupoudrer de basilic, arroser d'un filet d'huile et poivrer.
■ Badigeonner de jaune d'œuf le pourtour de la pâte et mettre au four. Laisser cuire 20 à 25 minutes, jusqu'à ce que la jalousie soit joliment dorée. Servir avec une salade.

Strudels de sardines au citron

Le mot strudel évoque tout naturellement un gâteau fourré aux pommes et aux noix. Même si vous n'aimez guère le poisson, vous ne résisterez pas à ces appétissants petits strudels de sardines. Vous pouvez bien sûr utiliser d'autres poissons, mais les sardines en boîte offrent plusieurs atouts : économiques, elles sont aussi riches en fer et en calcium. Faites-en autant que vous voudrez en multipliant à loisir les proportions.

Temps de préparation : **10 minutes**
Temps de cuisson : **5 minutes**
Pour **1 personne**

Riche en : **calcium, iode, fer, acides gras oméga 3, protéines** et **vitamines A et D**

- *1 feuille de brick*
- *1 cuillère à café d'huile de colza et un peu plus pour badigeonner*
- *2 sardines à l'huile en boîte, égouttées*
- *1 cuillère à café de jus de citron*
- *1 cuillère à café de coriandre fraîche hachée*
- *Le zeste d'un demi-citron*
- *Poivre noir à volonté*

■ Préchauffer le four à 200°C.
■ Étaler la feuille de brick sur une surface de travail bien propre ou une planche à découper et la badigeonner légèrement d'huile. Déposer au centre les sardines, arroser de jus de citron, ajouter le zeste de citron et la coriandre. Poivrer légèrement.
■ Rouler la pâte en repliant les bords en dessous. Badigeonner d'un peu d'huile et enfourner durant 15 minutes, jusqu'à ce que le strudel soit doré. Servir bien chaud avec une salade croquante.

Pâtes et céréales

Penne au saumon et aux asperges

La sauce hollandaise toute prête est pasteurisée. Elle ne présente donc aucun danger

Temps de cuisson : 15 à 20 minutes
Pour 2 personnes

Riche en : folates, acides gras oméga 3, protéines et vitamines A, C et D

- *200 g de penne*
- *100 g d'asperges coupées en tronçons de 2,5 cm*
- *200 g de filet de saumon sans la peau et émietté*
- *Le jus et le zeste d'un demi-citron*
- *2 cuillères à soupe de sauce hollandaise toute prête*
- *Sel et poivre noir à volonté*
- *Copeaux de parmesan pour décorer*

■ Faire cuire les pâtes .
■ 4 minutes avant la fin de la cuisson, faire cuire à la vapeur, au-dessus des pâtes, les asperges et le saumon.
■ Pendant ce temps, mélanger dans un bol le jus, le zeste de citron et la sauce hollandaise. Poivrer.
■ Égoutter les pâtes, les verser dans la sauce et mélanger délicatement les asperges et le saumon.
■ Assaisonner à volonté et servir décoré de quelques copeaux de parmesan.

Lasagnes de thon au fenouil

Voici des lasagnes de poisson auxquelles la délicate saveur anisée du fenouil apporte une pointe d'originalité. Si vous ne trouvez pas de fenouil frais, remplacez-le par du céleri et une demi-cuillère à café de graines de fenouil pilées. Servez accompagné d'une tranche de pain croustillant et de tomates cerises bien mûres, pour un repas complet.

Temps de préparation : **15 minutes**
Temps de cuisson : **35 à 40 minutes**
Pour **3 à 4 personnes**

Riche en : **calcium, fibres, protéines** et **vitamine B$_2$**

- *3 feuilles de laurier*
- *3 petits poireaux coupés en deux*
- *1/2 fenouil émincé*
- *500 ml de lait écrémé*
- *25 g de margarine de tournesol*
- *25 g de farine*
- *1 boîte de 200 g de thon au naturel, égouttée*
- *Huile ou beurre pour le plat*
- *6 feuilles de lasagnes*
- *25 g de cheddar râpé*
- *Sel et poivre noir à volonté*

■ Préchauffer le four à 180°C.
■ Mettre les poireaux, les feuilles de laurier et le fenouil dans une petite casserole anti-adhésive, ajouter le lait et faire chauffer à feu très doux pendant 10 minutes.
■ Retirer les poireaux et le fenouil et réserver. Enlever les feuilles de laurier et transvaser le lait dans un pichet.
■ Toujours dans la même casserole, faire fondre la margarine à feu doux puis ajouter la farine en prenant soin de bien mélanger. Ajouter petit à petit le lait tiède, sans cesser de remuer. Porter à ébullition pour que la sauce épaississe. Assaisonner.

■ Huiler un plat à gratin de 15 x 22 cm environ. Y verser la moitié de la fondue de poireaux et de fenouil. Étaler sur le dessus, à la fourchette, la moitié du thon. Couvrir de 3 feuilles de lasagnes et napper de la moitié de la sauce. Répéter l'opération, puis napper du reste de sauce.
■ Saupoudrer de fromage râpé et enfourner 35 à 40 minutes, jusqu'à ce que le dessus soit joliment gratiné et les pâtes bien cuites.

Et pourquoi pas...?
Attention ! Si vous utilisez des pâtes fraîches, 20 ou 25 minutes de cuisson suffisent.

Pâtes à la sauce tomate et au mascarpone

Un plat qui se prépare en un clin d'œil. Servez-le accompagné d'un grand saladier de mesclun ou d'une salade de chou rouge (voir page 113) : votre dîner est prêt !

Temps de préparation : **5 minutes** (V)
Temps de cuisson : **10 minutes**
Pour **2 personnes**

Riche en : **calcium** et **vitamines B et C**

- *250 g de pâtes fraîches, de quelque type que ce soit*
- *125 g de mascarpone*
- *10 tomates séchées conservées dans l'huile, égouttées et émincées*
- *5 grandes feuilles de basilic frais grossièrement hachées*
- *1 cuillère à café de pesto rouge*
- *Poivre noir à volonté*

■ Faire cuire les pâtes.
■ Dans une petite casserole, mélanger les différents ingrédients et faire chauffer à petit feu.
■ Lorsque les pâtes sont cuites, les égoutter et les remettre dans la casserole. Verser la sauce sur les pâtes et mélanger soigneusement pour bien les enrober. Servir sans attendre.

Et pourquoi pas...?
Si vous préférez agrémenter ces pâtes d'une sauce aux tomates fraîches, remplacez les tomates séchées par 3 ou 4 tomates bien mûres, épluchées et hachées, que vous ferez fondre à feu doux 5 à 6 minutes. Mélangez le mascarpone et le basilic pour compléter la sauce.

Lasagnes de thon au fenouil

Linguine au jambon fumé et à l'avocat, parfumés au romarin

Très simple à préparer, ce plat met à l'honneur les délicates saveurs du jambon fumé et du romarin, qui complètent à merveille celle de l'avocat. Une recette idéale pour improviser un dîner lorsque vous êtes fatiguée et n'avez guère envie de cuisiner.

Temps de préparation : **10 minutes**
Temps de cuisson : **10** à **15 minutes**
Pour **2 personnes**

Riche en : **protéines** et **vitamines B** et **E**

- *200 g de linguine, de spaghettis ou de tagliatelles*
- *1 cuillère à dessert d'huile d'olive*
- *2 échalotes épluchées et émincées*
- *1 cuillère à dessert de romarin frais finement haché*
- *100 g de chiffonnade de jambon fumé*
- *1 avocat coupé en dés*
- *Le zeste d'un demi-citron*
- *2 cuillères à soupe de crème fraîche allégée*

■ Faire cuire les pâtes selon les indications figurant sur le paquet, puis bien les égoutter.
■ Dans une petite poêle, mettre l'huile d'olive à chauffer et faire fondre les échalotes pendant 5 minutes environ. Mélanger le romarin et laisser cuire 1 à 2 minutes supplémentaires.
■ Ajouter les ingrédients restants, faire chauffer à feu très doux puis mélanger cette préparation aux pâtes égouttées. Servir sans attendre.

Fusilli lunghi au bacon et à la roquette

Ce plat associe les saveurs relevées de la roquette et des lardons et la douceur de la crème fraîche. Dans la mesure du possible, utilisez des fusilli lunghi (spaghettis en forme de tire-bouchon), mais à défaut, des tagliatelles ou des spaghettis feront bien sûr l'affaire.

Temps de préparation : **5 minutes**
Temps de cuisson : **15 minutes**
Pour **2 personnes**

Riche en : **vitamines B** et **protéines**

- *200 g de fusilli lunghi*
- *1 cuillère à soupe d'huile d'olive*
- *8 petits champignons de Paris émincés*
- *2 tranches de poitrine fumée coupées en petits lardons*
- *25 g de roquette lavée et essorée*
- *2 cuillères à soupe de crème fraîche allégée*
- *Quelques copeaux de parmesan et des tomates cerises pour décorer*
- *Sel et poivre noir au moment de servir*

■ Faire cuire les pâtes selon les indications figurant sur le paquet.
■ Dans une grande casserole, faire revenir les champignons et les lardons à feu doux, dans l'huile bien chaude, pendant 5 à 7 minutes.
■ Mélanger délicatement la roquette et laisser fondre les feuilles. Ajouter alors la crème fraîche, saler et poivrer à volonté.
■ Lorsqu'elles sont cuites, égoutter les pâtes, les verser dans la casserole et mélanger soigneusement pour bien les enrober de sauce. Décorer de petites tomates cerises et de copeaux de parmesan avant de servir.

Linguine au jambon fumé et à l'avocat, parfumés au romarin

Risotto aux abricots et au gingembre

Risotto aux abricots et au gingembre

Ce risotto contient des abricots séchés, riches en calcium, du gingembre, qui soulage les nausées, et des baies de genièvre, pour une petite pointe relevée. Il accompagnera à merveille un plat de poisson ou de poulet grillé.

Temps de préparation : **5 minutes** ⓥ
Temps de cuisson : **20 minutes**
Pour **2 à 3 personnes**

Riche en : **bêta-carotène, vitamines B, calcium et fibres**

- *1 cuillère à soupe d'huile d'olive*
- *1 oignon rouge épluché et haché*
- *1 morceau de gingembre frais de 2,5 cm, râpé*
- *10 baies de genièvre pilées*
- *1 cuillère à café de thym*
- *200 g de riz Basmati rincé et égoutté*
- *10 abricots séchés, coupés en deux*
- *300 ml de bouillon de légumes*
- *Persil frais haché pour la garniture*

■ Dans une grande casserole anti-adhésive, faire chauffer l'huile et laisser blondir l'oignon durant 2 à 3 minutes. Ajouter le gingembre, les baies de genièvre, le thym et pour finir les abricots et le bouillon. Mélanger et couvrir.

■ Porter à ébullition et laisser frémir pendant 15 à 20 minutes, jusqu'à ce que le riz soit cuit.

■ Servir sans attendre, décoré d'un peu de persil ciselé.

Risotto aux courgettes et aux noix de cajou

Prêt en un tournemain, ce risotto utilise des noix de cajou, légèrement sucrées et moins grasses que la plupart des fruits secs.

Temps de préparation : **10 minutes** ⓥ
Temps de cuisson : **20 à 25 minutes**
Pour **2 personnes**

Riche en : **fibres, protéines, vitamines C et E et zinc**

- *1 cuillère à soupe d'huile d'olive*
- *1 oignon épluché et finement haché*
- *2 branches de céleri finement émincées*
- *1 courgette coupée en petits dés*
- *200 g de riz rond*
- *2 cuillères à café de coriandre moulue*
- *500 ml de bouillon de légumes*
- *150 g de noix de cajou*
- *2 cuillères à soupe de persil plat ciselé*
- *Sel et poivre noir*

■ Faire chauffer l'huile dans une grande casserole anti-adhésive, puis laisser fondre l'oignon et le céleri pendant 10 minutes à petit feu.

■ Ajouter la courgette, le riz et la coriandre et laisser cuire encore 1 ou 2 minutes. Verser le bouillon, mélanger et couvrir. Laisser mijoter pendant 20 minutes environ.

■ Pendant ce temps, faire griller les noix de cajou à four moyen 2 ou 3 minutes pour leur donner une jolie teinte dorée. Attention, les fruits secs grillent très vite en raison de leur teneur en matière grasse. Surveillez attentivement la cuisson pour ne pas les laisser brûler.

■ Lorsque le riz est cuit, ajouter le persil et les noix de cajou, rectifier l'assaisonnement et servir aussitôt.

pain

céréales
pour le petit
déjeuner

pommes
de terre

Risotto au chorizo et aux champignons

Un délicieux risotto, facile comme bonjour à réaliser, avec des ingrédients tout simples. Demandez à votre charcutier de vous couper des tranches de chorizo d'au moins 2 mm d'épaisseur et utilisez les champignons de votre choix.

Temps de préparation : **10 minutes**
Temps de cuisson : **25 minutes**
Pour **2 personnes**

Riche en : **vitamines B, fer et protéines**

- *1 gros oignon épluché et haché*
- *4 tranches épaisses de chorizo coupées en dés*
- *150 g de champignons émincés*
- *150 g de riz rond*
- *400 ml de bouillon de légumes*
- *Quelques copeaux de parmesan pour décorer*

■ Dans une grande casserole anti-adhésive, faites blondir l'oignon et revenir le chorizo (qui va jeter sa graisse) à petit feu. Augmenter légèrement le feu et faire frire durant 4 à 5 minutes, jusqu'à ce que l'oignon soit joliment doré.
■ Mélanger les champignons et laisser cuire pendant 2 minutes supplémentaires. Ajouter le riz et le bouillon, bien mélanger et couvrir. Lorsque le mélange frémit, laisser mijoter 20 à 25 minutes, jusqu'à ce que le riz soit cuit et bien moelleux.
■ Servir saupoudré de quelques copeaux de parmesan, avec une salade d'épinards.

Et pourquoi pas...?

Vous pouvez ajouter toutes sortes d'ingrédients à ce risotto : poivron émincé, olives dénoyautées, épinards, pois chiches, etc.

Dans la mesure du possible, organisez chacun de vos repas autour des hydrates de carbone : pain, céréales, pommes de terre, pâtes ou riz. Ces aliments, notamment sous leur forme complète, garantissent un apport énergétique constant. De plus, ils sont pour la plupart riches en vitamines B et en fibres.

Le pain Bien entendu, comme tous les aliments contenant des féculents, le pain vous apporte des hydrates de carbone, mais il est aussi riche en vitamines B, qui favorisent la libération d'énergie à partir des aliments. Le pain complet contient davantage de folates et de fibres que le pain blanc, mais dans certains pays, comme le Royaume-Uni, ce dernier est enrichi en calcium, excellent pour la santé. Mangez régulièrement toutes sortes de pains pour faire le plein d'énergie et de micronutriments. Goûtez les pains aux céréales, qui vous apporteront un complément de vitamine E, de zinc, de sélénium et de magnésium.

Les céréales pour le petit déjeuner Différentes études ont permis d'établir que les personnes consommant des céréales pour le petit déjeuner avaient un taux sanguin de nutriments élevé. Rappelons que beaucoup de ces céréales sont enrichies en vitamines et en minéraux, notamment en acide folique, très important pendant la grossesse. Elles constituent donc un excellent en-cas, à toute heure de la journée.

Les pommes de terre Contrairement aux pâtes et aux riz, les pommes de terre, et plus particulièrement les pommes de terre nouvelles (à manger aussi fraîches que possible), contiennent de la vitamine C. C'est sous la peau que se concentrent la plupart des nutriments présents dans les pommes de terre. Si vous les épluchez, faites-le aussi finement que possible. Sinon, grattez-les tout simplement et mangez la peau. Pour varier vos menus, pensez aux patates douces, qui vous apporteront un supplément de bêta-carotène.

Graine de couscous à la ciboulette

Bien sûr, vous pouvez acheter de la semoule déjà parfumée, mais pourquoi ne pas la préparer vous-même ?
La ciboulette lui donne une légère note acidulée. Selon votre inspiration, remplacez-la par d'autres fines herbes fraîches ou quelques feuilles de la salade de votre choix. Accompagnement tout simple et facile à préparer pour les plats végétariens, les viandes et les poissons, la semoule se marie aussi très bien avec les plats mijotés.

Temps de préparation : **5 minutes**   (V)
Temps de repos : **10 minutes**
Pour **4 personnes**

Riche en : **protéines** et **vitamine B$_1$**

- *500 ml d'eau bouillante*
- *1 cuillère à soupe d'huile d'olive (facultatif)*
- *1/2 bouillon cube de volaille ou de légumes*
- *280 g de semoule*
- *3 cuillères à soupe de ciboulette fraîche hachée*
- *Poivre noir à volonté*

■ Verser dans une casserole l'eau bouillante et l'huile. Ajouter le bouillon cube, bien mélanger.
■ Verser la semoule, remuer et laisser reposer durant 10 minutes, hors du feu.
■ Pour finir, incorporer la ciboulette, saler, poivrer et séparer les grains à l'aide d'une fourchette, afin qu'ils ne collent pas.

Et pourquoi pas...?
Pour un repas plus consistant, agrémentez cette graine de couscous de haricots verts cuits et de tomates coupées en dés. Pour une semoule légèrement croquante, ajoutez des graines de tournesol, des pignons ou des amandes.

Riz sauté aux légumes à la chinoise

Rien de plus simple qu'un riz sauté, que vous pouvez accommoder de mille et une façons, selon l'inspiration et les richesses de votre réfrigérateur. Dans cette recette, le riz cuit à l'eau pendant que vous préparez les légumes. Vous pouvez aussi ajouter toutes sortes de légumes verts. Préparez tous les ingrédients à l'avance pour n'avoir plus qu'à les faire cuire au dernier moment.

Temps de préparation : **10 minutes**   (V)
Temps de cuisson : **5 à 8 minutes**
Pour **2 personnes**

Riche en : **bêta-carotène** et **vitamine C**

- *1 à 2 cuillères à soupe d'huile de colza*
- *2 oignons frais coupés en tronçons de 2 cm*
- *2 branches de céleri finement émincées*
- *150 g de pak choï ou autre légume chinois, finement émincé*
- *2 gousses d'ail épluchées et pressées*
- *1 morceau de 2,5 cm de gingembre frais, râpé*
- *1/2 poivron rouge finement émincé*
- *200 g de riz cuit à l'eau*
- *2 cuillères à soupe de sauce de soja à teneur réduite en sel*

■ Faire chauffer 1 cuillère à soupe d'huile dans un wok, puis ajouter les oignons frais, le céleri et le pak choï et faire revenir le tout, sans cesser de remuer, pendant 2 minutes.
■ Ajouter l'ail, le gingembre et le poivron rouge, laisser cuire 1 minute, puis verser le reste d'huile et le riz. Faire sauter 1 ou 2 minutes à feu vif.
■ Arroser de sauce de soja et servir immédiatement.

Et pourquoi pas...?
Pour un repas plus consistant, agrémentez votre riz sauté de noix de cajou ou bien encore de quelques pousses de bambou qui complèteront à merveille ce plat d'inspiration asiatique.

Paella

Si vous aimez le riz, vous apprécierez sans nul doute ce plat complet. Pour cette recette, nous avons choisi du poulet, des calmars et des crevettes, mais vous pouvez les remplacer par d'autres viandes ou poissons. Vous trouverez à acheter un mélange d'épices tout prêt. Pour une paella dans les règles de l'art, sachez que l'on ne doit jamais mélanger le riz en cours de cuisson, sous peine de briser les grains. Contentez-vous de remuer doucement le plat pour que le riz n'attache pas.

Temps de préparation : **20 minutes**
Temps de repos : **25 à 30 minutes**
Pour **4 personnes**

Riche en : **fibres, iode, protéines** et **vitamine C**

- *1 cuillère à soupe d'huile d'olive*
- *1 oignon épluché et haché*
- *1 gousse d'ail épluchée et pressée*
- *250 g de blanc de poulet coupé en petits dés*
- *1 poivron rouge émincé*
- *2 grosses tomates épluchées et hachées*
- *1/2 cuillère à café d'étamines de safran écrasées*
- *1 cuillère à café de paprika*
- *200 g de riz rond*
- *450 ml de bouillon de poule*
- *100 g de calmars coupés en fines rondelles*
- *100 g de crevettes décongelées*
- *150 g de petits pois surgelés*

■ Dans un plat à paella ou une grande poêle, faire blondir l'oignon dans l'huile d'olive, à feu doux, pendant 5 minutes environ. Ajouter l'ail et les morceaux de poulet. Laisser cuire encore 10 minutes à petit feu.

■ Mélanger à cette préparation le poivron, les tomates, ajouter le safran, le paprika et pour finir le riz. Faire revenir le tout 1 ou 2 minutes, en remuant constamment, puis arroser de bouillon de poule. Mélanger et laisser cuire à petit bouillon, sur feu doux, pendant 15 minutes.

■ Ajouter alors les calmars, les crevettes et les petits pois. Laisser cuire pendant 5 à 10 minutes supplémentaires, jusqu'à ce que le riz soit parfaitement cuit, en rajoutant si nécessaire un peu d'eau. Couvrir et laisser reposer 5 minutes avant de servir.

Cocktails de fruits

Milk-shake au yaourt et à la framboise

Les framboises fraîches permettent de préparer de délicieux milk-shakes et se marient à merveille à la consistance crémeuse à souhait du yaourt, riche en calcium. Il n'est pas nécessaire de passer ce milk-shake, à moins que les petits grains des framboises ne vous dérangent : ils vous apportent aussi des fibres.

Temps de préparation : **5 minutes**
Pour **1 personne**

Riche en : **calcium, folates, riboflavine** et **vitamines B et C**

- *100 g de framboises (fraîches ou surgelées)*
- *3 cuillères à soupe de yaourt nature*
- *1 cuillère à café de miel liquide*
- *1 cuillère à dessert de sucre en poudre*
- *100 ml de lait écrémé*

■ Mixer les framboises pour les réduire en purée. Si vous souhaitez éliminer les petits grains, passez la préparation au chinois.
■ Mélanger ce coulis de framboises aux autres ingrédients, au mixer ou dans le robot, pour obtenir une préparation onctueuse. Verser dans un verre et boire sans attendre.

Recettes vite faites

Milk-shake au melon et à la fraise

Une boisson préparée en un clin d'œil, pour prendre des forces avant de partir au travail.

Temps de préparation : 5 minutes   (V)
Pour 1 personne

Riche en : **calcium** et **vitamines B et C**

- *1/2 melon galia coupé en morceaux*
- *100 g de fraises équeutées*
- *1/2 banane coupée en rondelles*
- *2 cuillères à soupe de yaourt nature*
- *1/2 cuillère à café de sucre en poudre*

■ Mixer le melon, les fraises et les rondelles de banane pour obtenir une préparation bien homogène.
■ Ajouter le yaourt et le sucre et mixer à nouveau pour bien mélanger le tout. Verser dans un verre et boire aussitôt.

Milk-shake à la banane et aux amandes

Une délicieuse boisson réconfortante, pour calmer les petites faims. Amandes et banane se marient à merveille, mais si vous n'appréciez guère le goût des amandes, remplacez-les par une demi-cuillère à café d'extrait de vanille.

Temps de préparation : 2 minutes   (V)
Pour 1 personne

Riche en : **calcium, fibres** et **vitamine B$_2$**

- *1 petite banane coupée en grosses rondelles*
- *125 ml de lait demi-écrémé*
- *1 cuillère à café de sucre en poudre*
- *1 cuillère à soupe de yaourt nature*
- *1 cuillère à dessert de poudre d'amandes légèrement grillée*
- *1/2 cuillère à café d'extrait d'amandes amères*

■ Mixer tous les ingrédients (au mixer ou dans un robot) pour obtenir un mélange homogène et onctueux.
■ Verser dans un verre et boire aussitôt servi.

Jus de carotte, de pomme et de citron vert

L'acidité du citron vert contraste avec la douceur de la pomme et de la carotte. Une boisson rafraîchissante à toute heure, qui vous permettra de reprendre des forces en rentrant du travail, et une façon savoureuse de faire le plein de vitamine C si vous n'avez guère d'appétit.

Temps de préparation : 5 minutes   (V)
Pour 1 à 2 personnes

Riche en : **bêta-carotène** et **vitamine C**

- *2 pommes coupées en morceaux*
- *3 carottes moyennes épluchées et coupées en morceaux*
- *Le jus d'un citron vert*

■ Passer les ingrédients à la centrifugeuse afin d'en extraire tout le jus. Bien mélanger.
■ Verser dans un verre et boire aussitôt servi.

Jus de poire, de pomme et de raisin

Temps de préparation : 5 minutes   (V)
Pour 1 à 2 personnes

Riche en : **vitamine C**

- *1 poire bien juteuse coupée en morceaux*
- *1 pomme coupée en morceaux*
- *90 g de raisins blancs épépinés*

■ Passer tous les ingrédients à la centrifugeuse afin d'en extraire tout le jus. Bien mélanger.
■ Verser dans un verre et boire sans attendre.

Jus de melon et d'orange

Profitez de la période d'allaitement pour goûter ce jus délicieusement désaltérant. Il vous sera d'un grand secours pendant ces premières semaines quelque peu agitées.

Temps de préparation : 5 minutes   (V)
Pour 1 personne

Riche en : **bêta-carotène** et **vitamine C**

- *1/2 melon galia coupé en morceaux*
- *1 belle orange juteuse épluchée et coupée en gros morceaux*
- *Le jus d'un demi-citron vert*
- *Quelques graines de melon séchées (facultatif)*

■ Passer le melon, l'orange, le jus de citron vert et les graines de melon (facultatif) à la centrifugeuse, de façon à obtenir une préparation homogène. Bien mélanger le tout. Verser dans un verre et boire aussitôt servi.

Milk-shake au melon et à la fraise
Jus de poire, de pomme et de raisin
Jus de carotte, de pomme et de citron vert

Pommes

Abricots

Avocats

Bananes

Cassis

Mangues

Oranges

Pruneaux

les fruits

Dans la mesure du possible, mangez trois portions de fruits par jour, au petit déjeuner, comme en-cas, sous forme de jus ou de desserts. Privilégiez les fruits ci-dessous, aliments vedettes pendant la grossesse.

Pommes Source de fibres solubles et de pectine, elles favorisent la stabilité du taux de sucre dans le sang. Leur faible apport calorique en fait un en-cas idéal : elles calmeront vos petites faim sans vous couper l'appétit. Pensez aussi aux compotes.

Abricots Riches en potassium, régulateur de la tension artérielle, mais aussi en bêta-carotène, en cuivre, en fer et en fibres, les abricots (frais ou séchés) peuvent s'accommoder de mille et une façons. Mélangez-les aux céréales de votre petit déjeuner, emportez-en au travail ou savourez un cocktail vitalité à l'abricot et à la pêche (voir page 83).

Avocats Particulièrement riches en vitamine E, les avocats favorisent la fécondité masculine. Ils contiennent aussi du bêta-carotène, des fibres et de l'acide folique et sont donc conseillés aux femmes enceintes. Régalez-vous d'une crème d'avocats ou agrémentez vos salades et vos sandwichs.

Bananes Plus riches en vitamine C que la plupart des pommes, les bananes bien mûres contiennent des sucres rapidement libérés dans le sang, qui donnent un coup de fouet. Pensez à manger des bananes en en-cas, dans des milk-shakes ou bien encore en dessert, avec le gâteau à la banane et aux noix du Brésil (voir page 136).

Cassis C'est l'un des fruits les plus riches en vitamine C, qui contient également des phytonutriments comme la bioflavonoïde. Une portion de compote de cassis vous apportera 160 mg de vitamine C – soit plus de trois fois vos besoins quotidiens. Mélangés à un peu de sucre, ils perdent leur acidité naturelle et se prêtent à la préparation de sauces délicieuses ou d'onctueux desserts.

Mangues Riches en fibres et en potassium, les mangues constituent une excellente source de bêta-carotène et de vitamine C. Coupez une mangue en dés, ajoutez de la papaye ou de l'ananas, agrémentez le tout de fruits de la passion et vous obtenez une succulente salade de fruits. Ou bien encore, alternez morceaux de mangue et de poulet sur des brochettes, pour un dîner rafraîchissant et nourrissant.

Oranges Riches en folates, en potassium, en fibres solubles et en vitamine C, les oranges sont excellentes pour renforcer vos gencives et prévenir les infections. Le jus d'orange est un concentré de vitamine C. Buvez-en un verre lorsque vous avez besoin d'un coup de fouet. La peau comestible des kumquats, qui appartiennent à la même famille, renferme également de précieux phytonutriments.

Pruneaux Principalement réputés pour leurs vertus laxatives, les pruneaux contiennent du fer et du potassium. En manger régulièrement pendant la grossesse vous aidera à prévenir la constipation. Découvrez deux délicieuses façons de manger des pruneaux avec la salade de fruits d'hiver (voir page 125) et le poulet en cocotte aux pruneaux et aux pignons (voir page 104).

Milk-shake à la fraise

Parfait pour un petit déjeuner express lorsque vous vous sentez nauséeuse. Inutile de le filtrer pour enlever les grains : profitez plutôt de cet apport supplémentaire de fibres.

Temps de préparation : **2 minutes**
Pour **1 personne**

Riche en : **calcium, fibres, vitamines B$_2$ et C**

- *100 g de fraises fraîches équeutées*
- *150 ml de lait demi-écrémé*
- *1 cuillère à café de sucre en poudre*

■ Mixer tous les ingrédients (au mixer ou dans un robot) pour obtenir une préparation onctueuse.
■ Verser dans un verre et boire sans plus attendre.

Cocktail vitalité de mangue et de papaye

Excellent au petit déjeuner ou à tout moment de la journée, lorsque vous avez besoin d'un coup de fouet.

Temps de préparation : **5 minutes**
Pour **1 personne**

Riche en : **bêta-carotène et vitamine C**

- *150 ml de jus de pomme bien frais*
- *1/2 papaye coupée en dés*
- *1 petite mangue coupée en dés*

■ Passer au mixer (ou au robot) le jus de pomme et les morceaux de papaye et de mangue pour obtenir une préparation homogène et onctueuse.
■ Boire aussitôt servi.

Cocktail vitalité à l'abricot et à la pêche

Une délicieuse façon de commencer la journée tout en faisant le plein de calcium, de fibres et de vitamine C. Le yaourt aux céréales vous apportera un complément de fibres.

Temps de préparation : **5 minutes**
Pour **1 personne**

Riche en : **calcium, fibres et vitamine C**

- *2 cuillères à soupe de yaourt à la pêche au lait entier (si possible enrichi en céréales)*
- *4 abricots secs coupés en petits morceaux*
- *200 g de pamplemousse en quartiers*

■ Mélanger tous les ingrédients au mixer (ou dans un robot) pour obtenir une préparation homogène et onctueuse.
■ Verser dans un verre et boire aussitôt servi.

Cocktail vitalité de mangue et de papaye

PLATS PRINCIPAUX

Plats végétariens • Poissons • Viandes

Plats végétariens

Galettes de noix du Brésil

Très simple à réaliser, cette recette peut se décliner de multiples façons, en utilisant différents types de pain ou de fruits secs.

Temps de préparation : **5 minutes** (V)
Temps de cuisson : **30 minutes**
Pour **4 galettes**

Riche en : **calcium, fibres, fer, protéines, sélénium et vitamine E**

- *100 g de noix du Brésil*
- *2 beaux oignons frais hachés*
- *2 tranches de pain blanc*
- *1 œuf, blanc et jaune séparés*
- *1 poivron rouge coupé en dés*
- *Sel et poivre noir à volonté*
- *Huile*
- *1 petit pain*

■ Préchauffer le four à 180°C.
■ Mixer les noix du Brésil, les oignons et les tranches de pain dans le robot pour obtenir un hachis. Ajouter le jaune d'œuf et le poivron rouge, mixer à nouveau. Saler et poivrer. Si la préparation n'est pas assez liée, ajouter le blanc d'œuf.
■ Confectionner 4 petites boules, puis les aplatir pour former des galettes de 1 à 2 cm d'épaisseur.
■ Poser ces galettes sur la plaque du four légèrement huilée et laisser cuire 25 à 30 minutes, jusqu'à ce qu'elles soient légèrement dorées et croustillantes.
■ Servir sur un petit pain grillé, accompagné de coulis de tomate et de salade ou de pommes de terre nouvelles au four.

Et pourquoi pas...?
Pour varier les plaisirs, utilisez des petits pains de type ciabatta, que vous aurez fait tiédir au four afin qu'ils soient croustillants à souhait.

Roulade tiède au fromage

Temps de préparation : **15 minutes** ⓥ
Temps de cuisson : **25 minutes**
Pour **2 personnes** (plat) ou **4 personnes**
(entrée)

Riche en : **calcium, protéines** et **vitamines**
A, B₂ et **C**

- *Huile de tournesol pour le moule*
- *250 g de tomates cerises coupées en deux*
- *1 cuillère à soupe d'huile d'olive*
- *Sel et poivre noir*
- *4 gros œufs*
- *50 g de cheddar râpé*
- *50 g de poudre d'amandes*
- *1 cuillère à soupe de parmesan fraîchement râpé*
- *1 cuillère à soupe de ciboulette fraîche hachée*

■ Préchauffer le four à 220°C. Chemiser de papier sulfurisé un moule à gâteau roulé de 22 x 30 cm et le huiler légèrement.
■ Disposer les tomates sur un plat allant au four, arroser d'un filet d'huile d'olive et enfourner pendant 20 à 25 minutes, jusqu'à ce qu'elles aient ramolli. Sortir du four, laisser refroidir et assaisonner.
■ Battre les œufs au fouet jusqu'à obtention d'un mélange léger et mousseux, puis incorporer le cheddar et les amandes. Verser cette préparation dans le moule. Enfourner et laisser 15 minutes au four, jusqu'à ce que la préparation soit cuite mais reste moelleuse au toucher.
■ Pendant ce temps, étaler une feuille de papier sulfurisé et la saupoudrer de parmesan. Lorsque la pâte est cuite, la démouler sur le papier saupoudré de fromage et laisser reposer 2 minutes avant de retirer délicatement le papier. Faire une marque à 2 cm du bord de la pâte.
■ Disposer les tomates en les répartissant équitablement sur la pâte et saupoudrer de ciboulette. Mettre en forme la roulade à l'aide du papier sulfurisé saupoudré de fromage et glisser délicatement sur une assiette. Servir aussitôt.

Crêpes d'avocat au poivron rouge

Crêpes d'avocat au poivron rouge

Rapide et facile à réaliser, cette recette est prévue pour 8 à 10 crêpes. Pour les mettre au congélateur, recouvrez chaque crêpe de papier sulfurisé, puis enveloppez-la dans du papier d'aluminium.

Temps de préparation : **5 minutes** ⓥ
Temps de cuisson : **10 à 15 minutes**
Pour **2 personnes**

Riche en : **calcium, protéines** et **vitamines**
B₁, C et **E**

Pour la garniture :
- *1 avocat bien mûr, épluché et émincé*
- *Le jus d'un citron ou d'un citron vert*
- *1 poivron rouge évidé et émincé*
- *100 g de feta*
- *Poivre noir à volonté*
- *Quelques fines herbes de votre choix*

Pour les crêpes :
- *50 g de farine blanche*
- *50 g de farine complète ou de farine de sarrasin*
- *1 gros œuf*
- *1 cuillère à dessert d'huile d'olive*
- *300 ml de lait demi-écrémé*
- *Huile végétale pour la friture*

■ Commencez par préparer la garniture. Arrosez l'avocat émincé de jus de citron, puis mélangez-le au poivron rouge et à la feta. Poivrez légèrement et ajoutez le hachis de fines herbes.
■ Préparez ensuite la pâte à crêpes en plaçant tous les ingrédients dans le robot. Mixez pour obtenir une pâte bien lisse. Si vous ne disposez pas d'un robot, versez la farine dans un saladier, ajoutez l'œuf, puis l'huile, et incorporez petit à petit le lait, au fouet, sans cesser de battre jusqu'à obtention d'une pâte sans grumeaux.
■ Faites chauffer de l'huile dans une poêle de 20 cm de diamètre. Lorsqu'elle est bien chaude, versez un peu de pâte. Inclinez la poêle pour bien en napper le fond,

et laissez cuire la crêpe jusqu'à ce qu'elle soit légèrement dorée.

■ Une fois dorée des deux côtés, glissez-la sur une assiette et procédez de même avec le reste de la pâte. Pour garder les crêpes au chaud, posez-les sur une assiette chaude, séparées par du papier sulfurisé et recouvertes de papier d'aluminium.

■ Déposez au centre de chaque crêpe un peu de préparation à l'avocat, repliez la crêpe en deux et servez.

Et pourquoi pas...?

Vous pouvez varier à l'infini la garniture des crêpes. Les préparations à tartiner et autres crèmes des pages 63-66 feront merveille. Mais pourquoi ne pas en essayer d'autres ? Mélangez par exemple 250 g de cottage cheese, 50 g de dattes coupées en petits morceaux et 1 carotte râpée, puis ajoutez 1 cuillère à café de graines de cumin grillées, qui donneront à votre préparation une petite touche orientale.

Aumônières de courge butternut et de pois chiches à la marocaine

Groseilles, cumin et cannelle rehaussent la saveur des pois chiches et de la courge butternut. Quant à la marmelade aux écorces d'orange, elle apporte une ultime touche d'originalité. Ces aumônières en feuilles de brick, du plus bel effet, sont tout simplement délicieuses.

Temps de préparation : **30 minutes** (V)
Temps de cuisson : **15 à 20 minutes**
Pour **8 aumônières**

Riche en : **bêta-carotène, calcium, fibres, fer** et **vitamine C**

- *1 cuillère à soupe d'huile de colza, plus un peu d'huile de tournesol pour badigeonner*
- *350 g de courge butternut épluchée et coupée en dés*
- *1 oignon épluché et haché*
- *1 grosse gousse d'ail épluchée et pressée*
- *2 cuillères à soupe de raisins de Corinthe*
- *2 cuillères à café de graines de cumin*
- *1 bonne pincée de cannelle en poudre*
- *1 boîte de 410 g de pois chiches (240 g égouttés) rincés*
- *2 cuillères à soupe de marmelade aux écorces d'orange*
- *200 g de feuilles de brick recoupées en carré*
- *Graines de pavot, pour décorer*

■ Préchauffer le four à 200°C et huiler légèrement la plaque du four.

■ Faire cuire la courge butternut à la vapeur pendant 15 à 20 minutes, jusqu'à ce qu'elle soit bien tendre.

■ Mettre l'huile de colza à chauffer dans une grande casserole et faire fondre doucement l'oignon et l'ail pendant 10 minutes environ.

■ Ajouter les raisins de Corinthe, le cumin et la cannelle et laisser revenir 1 minute. Retirer du feu pour mélanger les pois chiches et la marmelade. Remuer la préparation en appuyant légèrement avec le dos d'une cuillère en bois pour écraser les pois chiches. Ajouter la courge butternut, puis laisser refroidir le tout.

■ Superposer 2 carrés de feuilles de brick et badigeonner celui du dessus d'un peu d'huile de tournesol. Déposer une grosse cuillerée à soupe de farce au centre de la pâte, puis relever les coins. Pincer la pâte juste au-dessus de la farce afin de donner sa forme à l'aumônière. La poser sur la lèchefrite en la badigeonnant à nouveau d'un peu d'huile. Saupoudrer de quelques graines de pavot. Répéter l'opération avec le reste de la farce pour les 8 aumônières.

■ Enfourner et laisser cuire 15 à 20 minutes, jusqu'à ce que la pâte soit bien dorée. Servir chaud, accompagné d'une salade de votre choix.

Légumes grillés au tofu

Vous pouvez adapter cette recette aux légumes de votre choix. Le tofu apporte un complément de protéines.

Temps de préparation : **10 minutes** (V)
Temps de cuisson : **35 minutes**
Pour **2 personnes**

Riche en : **bêta-carotène, fibres, protéines** et **vitamine C**

- *200 g de tofu coupé en dés*
- *1 petit oignon rouge épluché et émincé dans le sens de la longueur*
- *1 poivron rouge coupé en gros morceaux*
- *1 courgette coupée en rondelles de 1 cm d'épaisseur*
- *2 aubergines naines coupées en deux*
- *1 petite carotte épluchée et coupée en fins bâtonnets*
- *2 cuillères à soupe d'huile d'olive*
- *Quelques branches de thym*
- *Sel et poivre noir*

■ Préchauffer le four à 200°C.
■ Mettre le tofu et les légumes dans un grand plat à gratin et arroser le tout d'un filet d'huile d'olive. Ajouter le thym, saler et poivrer généreusement.
■ Laisser griller 35 à 40 minutes, jusqu'à ce que les légumes soient tendres et commencent à dorer sur les bords. Servir avec une salade de boulgour aux graines de citrouille (voir page 117) ou un peu de graine de couscous à la ciboulette (voir page 77).

Et pourquoi pas...?
Laissez refroidir les légumes, puis passez-les au mixer pour confectionner une délicieuse crème de légumes.

Légumes grillés au tofu

Gratin de brocolis, de poireaux et de fenouil

Simple et délicieux, ce plat riche en vitamine C et en calcium est idéal à tout moment de la grossesse. La sauce au fromage est préparée sans adjonction de matière grasse. Choisissez un fromage affiné pour rehausser la saveur de ce gratin.

Temps de préparation : **15 minutes** (V)
Temps de cuisson : **20 à 25 minutes**
Pour **4 personnes**

Riche en : **bêta-carotène, calcium, fibres** et **vitamines B$_2$ et C**

- *4 petits poireaux coupés en deux transversalement*
- *4 beaux bouquets de brocolis coupés en deux*
- *1/2 fenouil émincé dans le sens de la longueur*
- *25 g de farine blanche*
- *450 ml de lait demi-écrémé*
- *2 cuillères à café de moutarde à l'ancienne*
- *75 g de cheddar ou autre fromage affiné*
- *1 tranche épaisse de pain rassis écrasée en chapelure*
- *1 cuillère à soupe d'amandes effilées*

■ Préchauffer le four sur position grill.
■ Faire cuire les légumes pendant 5 minutes à la vapeur, pour qu'ils restent légèrement croquants. Retirer du feu.
■ Dans une casserole, verser la farine puis incorporer le lait, petit à petit. Porter à ébullition à feu doux, en remuant constamment. Retirer du feu et mélanger la moutarde et les 2/3 du fromage.
■ Disposer les légumes dans un plat à gratin peu profond et napper le tout de sauce au fromage. Saupoudrer de chapelure, du 1/3 de fromage restant et, pour finir, d'amandes effilées. Passer au grill 5 minutes environ, jusqu'à ce que le gratin prenne une jolie teinte dorée. Servir aussitôt.

Et pourquoi pas...?
Remplacez la moutarde par 1 cuillère à café de pesto rouge pour donner à votre gratin une saveur nouvelle.

Amandes

Haricots
cornilles

Graines de
citrouille

Graines de soja

Gratin de patates douces et de potiron

Facile à préparer, ce gratin peut être servi en accompagnement ou comme plat principal. N'hésitez pas à modifier sa température de cuisson si vous devez faire cuire un autre plat au four en même temps.

Temps de préparation : 5 à 10 minutes ⓥ
Temps de cuisson : 50 minutes
Pour 2 personnes

Riche en : **bêta-carotène**, **fibres** et **vitamine C**

- *650 g de potiron épluché et coupé en dés*
- *250 g de patate douce épluchée et coupée en dés*
- *1 gousse d'ail épluchée et pressée*
- *1 cuillère à soupe de thym frais*
- *1 cuillère à soupe d'huile d'olive*
- *Sel et poivre noir à volonté*
- *100 g d'amandes entières*

■ Préchauffer le four à 160°C.
■ Mettre les morceaux de potiron et de patates douces dans un plat à gratin, saupoudrer d'ail et de thym et napper d'un filet d'huile d'olive. Saler et poivrer généreusement. Recouvrir de papier aluminium et laisser cuire pendant 30 minutes.
■ Sortir du four, ajouter les amandes, mélanger et enfourner à nouveau, sans couvrir, 15 à 20 minutes supplémentaires, jusqu'à ce que la préparation soit légèrement dorée.

Ne les oubliez pas ! Ces aliments énergétiques contiennent des protéines et une multitude de minéraux et de vitamines.

Amandes Riches en vitamine E, les amandes apportent du calcium en quantité non négligeable, qui protège les réserves de la future maman et favorise la formation des os et des dents du bébé. 12 amandes représentent quelque 60 mg de calcium (soit un dixième environ de l'apport journalier recommandé). Elles contiennent un antioxydant : le sélénium. Grignotez-en lorsque vous avez envie d'un en-cas, saupoudrez-en vos légumes sautés ou bien encore utilisez de la poudre d'amandes pour épaissir vos soupes (voir page 59).

Haricots cornilles Grâce à leur teneur particulièrement élevée en folates, ces haricots sont conseillés au début de la grossesse. Outre des fibres, ils vous apportent de la vitamine B_1 et du sélénium.

Graines de citrouille Ces graines au doux goût de noisette, délicieusement croquantes, contiennent du fer, du zinc, du sélénium et de la vitamine E. Un bol de graines de citrouille et de fruits séchés constitue un excellent en-cas. N'hésitez pas à concocter une salade de boulgour aux graines de citrouille (voir page 117) pour faire le plein de zinc et accroître votre fécondité.

Graines de soja Excellente source de protéines et de phytonutriments, les graines de soja sont également conseillées avant la conception, du fait de leur teneur élevée en folates. L'un de leurs phytonutriments, le daidzein, préviendrait l'ostéoporose. Le soja se présente sous de multiples formes. Le tofu, par exemple, est excellent en salade, en soupe ou en brochette, car il s'imprègne à merveille de la saveur des autres aliments.

Tarte aux épinards et à la ricotta

Une tarte à savourer au déjeuner ou au dîner. Vous pouvez la préparer à l'avance et la conserver, bien emballée, un jour ou deux au réfrigérateur ou la congeler. Les graines de carvi donnent à la pâte une pointe d'originalité. Si vous utilisez un moule en métal, elle n'en sera que plus croustillante.

Temps de préparation : **20 minutes**
Temps de cuisson : **45 minutes**
Pour **6 personnes**

Riche en : **calcium, fibres, folates, fer, vitamines A et C**

- *75 g de farine complète*
- *75 g de farine blanche*
- *1 cuillère à café de graines de carvi*
- *75 g de margarine*
- *60 ml d'eau froide*
- *1 cuillère à soupe d'huile d'olive*
- *1 oignon pelé et finement haché*
- *2 beaux œufs*
- *250 g de ricotta*
- *1 cuillère à café de noix muscade râpée*
- *300 g d'épinards hachés, décongelés*
- *75 g de cheddar râpé*
- *Poivre noir à volonté*
- *2 cuillères à soupe de purée de tomates séchées*

■ Préchauffer le four à 200°C.

■ Dans un saladier, mélanger les deux farines et les graines de carvi. Ajouter la margarine et malaxer du bout des doigts. Verser la quantité d'eau nécessaire pour confectionner une boule de pâte souple qui ne colle pas aux doigts. Pétrir 1 à 2 minutes, puis envelopper la pâte dans un sac plastique et la mettre au réfrigérateur.

■ Pour la garniture, mettre l'huile d'olive à chauffer dans une poêle et faire blondir l'oignon 5 minutes. Retirer du feu.

■ Battre les œufs, la ricotta et la noix muscade, incorporer les épinards et 50 g de cheddar. Poivrer.

■ Abaisser la pâte pour obtenir un cercle de 23 cm de diamètre. Garnir un moule à tarte à fond amovible.

■ Napper le fond de tarte de purée de tomates, ajouter les oignons, puis recouvrir de la préparation à base d'épinards. Saupoudrer du reste de fromage. Enfourner et laisser cuire pendant 45 minutes.

Haricots cornilles aux champignons

Naturellement riches en folates, les haricots cornilles sont le principal ingrédient de ce délicieux plat végétarien. Du fait de l'absence de phytates ou autres composés, le fer des champignons, contrairement à celui de la plupart des aliments d'origine végétale, est directement assimilable par l'organisme. Pour un repas complet, servez ces haricots accompagnés d'une graine de couscous à la ciboulette (voir page 77) ou de riz nature cuit à l'eau.

Temps de préparation : **10 minutes**
Temps de cuisson : **25 à 30 minutes**
Pour **4 personnes**

Riche en : **vitamines B, fibres, folates, fer et protéines**

- *1 cuillère à dessert d'huile d'olive*
- *1 oignon épluché et finement haché*
- *1 cuillère bombée de coriandre en poudre*
- *150 g de champignons variés émincés*
- *400 g de haricots cornilles égouttés et rincés*
- *3 belles branches de romarin*
- *200 ml d'eau ou de bouillon de légumes*
- *Sel et poivre noir*

■ Dans une casserole, mettre l'huile à chauffer et faire blondir l'oignon à petit feu pendant 5 minutes environ.

■ Ajouter la coriandre, les champignons, les haricots et le romarin. Mélanger, couvrir et laisser mijoter à feu doux 5 à 10 minutes.

■ Verser dans la casserole l'eau ou le bouillon, porter à ébullition et laisser frémir 20 à 30 minutes, jusqu'à ce que les légumes soient moelleux et fondants. Assaisonner et servir.

Tarte aux épinards et à la ricotta

Plats principaux

Curry crémeux de légumes

Chou-fleur et potiron se marient merveilleusement aux épices, qui contrastent avec la saveur douce du lait de coco. Si vous préparez ce curry sans poudre de piment, il sera tout aussi savoureux. Quant aux amateurs de sensations fortes, ils pourront y ajouter un petit piment finement haché.

Temps de préparation : **10 minutes**   (v)
Temps de cuisson : **30 minutes**
Pour **2 personnes**

Riche en : **bêta-carotène, fibres, vitamines C** et **E**

- *1 cuillère à soupe d'huile de colza*
- *1 oignon épluché et grossièrement haché*
- *1 gousse d'ail épluchée et hachée*
- *1 morceau de gingembre frais de 2,5 cm, râpé*
- *1 cuillère à café de coriandre moulue*
- *1 cuillère à café de curcuma*
- *1 cuillère à café de cumin en poudre*
- *Piment en poudre, à votre convenance*
- *6 petits bouquets de chou-fleur lavés et coupés en deux*
- *50 g de haricots verts équeutés et coupés en deux*
- *1/2 grosse courge butternut ou 1 courge poivrée, épluchée et coupée en dés*
- *400 ml de lait de coco*

■ Dans une grande poêle, mettre l'huile à chauffer et faire fondre l'oignon et l'ail à feu doux pendant 5 minutes. Ajouter le gingembre, les épices et laisser cuire 1 à 2 minutes supplémentaires.

■ Ajouter le chou-fleur, les haricots verts et la courge et mélanger soigneusement pour bien enrober les légumes d'épices. Verser le lait de coco, mélanger, couvrir et laisser mijoter 25 à 30 minutes, jusqu'à ce que les légumes soient cuits à point.

Poissons

Quelques bonnes idées pour agrémenter vos poissons

Rien de tel que le poisson pour improviser un repas nutritif. En moins de 10 minutes, vous servirez un pavé de thon ou de saumon grillé, accompagné d'une belle salade verte et d'un petit pain, pour un repas complet riche en nutriments. Voici quelques idées de mariages heureux.

Sauce au surimi et à l'aneth
Mixer 125 g de bâtonnets de surimi au crabe, 100 ml de crème fraîche allégée, 1 cuillère à soupe d'aneth haché et le jus d'un demi-citron. Cette sauce est délicieuse sur les poissons blancs grillés ou les terrines de poisson maison.

Sauce aigre-douce au piment
Mélanger 1 cuillère à café de purée de tomates, 1 cuillère à café de miel, 1 cuillère à café de maïzena, 1/2 cuillère à café de Tabasco, 2 cuillères à café de vinaigre de vin, 1 cuillère à soupe de gingembre râpé et 2 petites gousses d'ail pressées. Ajouter 150 ml d'eau et faire chauffer à feu doux jusqu'à ce que la préparation épaississe. Retirer du feu et laisser refroidir. Servir sur des poissons blancs grillés, des brochettes ou pour tremper des crevettes ou des petites croquettes de poisson.

Beurre de câpres aux artichauts
Faire blondir 1/2 oignon dans 1 cuillère à soupe de beurre. Mixer grossièrement avec 2 artichauts coupés en morceaux, 1 cuillère à café de câpres et le zeste d'un citron vert. Mettre au réfrigérateur et servir avec des poissons grillés ou des gambas au barbecue.

Salade de concombre au poivron jaune
Émincez finement un morceau de concombre (épluché) de 10 cm et 1 poivron jaune. Saupoudrer d'une cuillère de cassonade et arroser de 2 cuillères à soupe de vinaigre au thym ou aux herbes. Mettre au réfrigérateur et servir avec un pavé de thon ou de saumon.

Herbes aromatiques

Agrémentez vos poissons grillés d'aromates pour rehausser leur saveur. Voici quelques idées d'associations réussies.

Romarin et flétan
Roquette et saumon
Basilic et thon
Menthe et maquereau

Gratin onctueux de poisson

Ce gratin, on ne peut plus facile à préparer, fait appel à différents poissons afin de diversifier votre alimentation et votre apport en nutriments. Vous pouvez utiliser n'importe quel poisson maigre, mais le haddock, de par sa teneur élevée en vitamine B$_6$, constitue un aliment idéal avant et pendant la grossesse. Liez la purée de pommes de terre avec un œuf battu pour enrichir ce plat en protéines et lui donner une jolie couleur dorée.

Temps de préparation : **20 minutes**
Temps de cuisson : **30 minutes**
Pour **4 personnes**

Riche en : **calcium, iode, protéines, et vitamines B$_2$, B$_6$ et C**

- *800 g de pommes de terre épluchées et coupées en morceaux*
- *500 ml de lait demi-écrémé*
- *350 g de haddock, sans la peau, coupé en dés*
- *150 g de calmar coupé en rondelles*
- *1 blanc de poireau émincé*
- *3 feuilles de laurier*
- *120 g de crevettes roses*
- *20 g de beurre*
- *1 cuillère à soupe de farine*
- *1 œuf battu*
- *1 noix de beurre ou de margarine de tournesol*
- *Sel et poivre noir à volonté*

■ Préchauffer le four à 180°C.
■ Porter à ébullition une grande casserole d'eau salée et y faire cuire les pommes de terre 15 à 20 minutes. Les égoutter.
■ Verser le lait dans une casserole moyenne et faire chauffer à feu doux. Ajouter les morceaux de haddock, le calmar, le poireau et les feuilles de laurier. Laisser cuire 10 minutes à feu doux. À l'aide d'une écumoire, retirer les morceaux de poisson, de calmar et de poireau et les déposer dans un plat à gratin de 20 x 20 cm, légèrement huilé. Réserver le lait après avoir retiré les feuilles de laurier.
■ Faire fondre le beurre dans une petite casserole, mélanger la farine et laisser cuire pendant 1 minute avant d'incorporer petit à petit le lait, sans cesser de remuer jusqu'à ce que la sauce épaississe. Assaisonner et napper le poisson de cette sauce.
■ Écraser les pommes de terre en purée, en ajoutant un œuf battu et une noix de beurre ou de margarine. Napper de purée la préparation de poisson et enfourner pendant 30 minutes, jusqu'à ce que le gratin prenne une jolie couleur dorée.

Saumon épicé à la thaïe

Tout en vous faisant découvrir un délicat mélange de saveurs, cette recette vous apportera, ainsi qu'à votre bébé, de multiples bienfaits. Si vous aimez les plats très relevés, utilisez plutôt du chili rouge.

Temps de préparation : **5 minutes**
Temps de cuisson : **15 à 20 minutes**
Pour **2 personnes**

Riche en : **iode, fibres, acides gras oméga 3, protéines et vitamine C**

- *2 filets de saumon sans la peau*
- *1 brin de lemon-grass effeuillé et finement haché*
- *1 petit piment vert (ou rouge) évidé et finement haché*
- *Le zeste et le jus d'un citron*
- *1 tige de ciboule finement hachée*
- *1 gousse d'ail épluchée et pressée*
- *2 noix de beurre*
- *Poivre noir, à discrétion*
- *1 cuillère à soupe de coriandre fraîche hachée*

■ Préchauffer le four à 190°C.
■ Poser les filets de saumon dans un plat allant au four.
■ Saupoudrer de lemon-grass et de piment, ajouter le jus et le zeste de citron, la ciboule et l'ail. Déposer 1 noix de beurre sur chaque filet et donner quelques tours de moulin à poivre
■ Couvrir, enfourner pendant 15 minutes, puis arroser de jus de cuisson. Remettre au four, sans couvrir, pendant 5 minutes supplémentaires, jusqu'à ce que le poisson soit cuit à cœur. Saupoudrer de coriandre, poivrer légèrement et servir accompagné de riz, de légumes verts et d'épis de maïs nains.

Saumon épicé à la thaïe

les poissons

Haddock

Saumon

Sardines

Les poissons gras, comme le hareng, le saumon, les sardines et le thon, sont riches en acides gras oméga 3 et en vitamine D, tandis que les poissons maigres contiennent du sélénium et du zinc. Quels qu'ils soient, les poissons constituent un aliment de choix pendant la grossesse.

Haddock Si tous les poissons maigres sont excellents, le haddock se distingue par sa teneur particulièrement élevée en vitamine B_6. Vendu un peu partout à prix modique, il s'accommode de mille et une façons et vous permettra d'improviser un repas vite fait, grillé, accompagné de légumes de saison ou d'une salade ou même, à l'occasion, de frites.

Saumon Poisson riche en nutriments, le saumon apporte des acides aminés essentiels au bon développement des yeux et du cerveau de votre bébé. Consommez régulièrement du saumon frais, en essayant par exemple le saumon en croûte à l'estragon (voir ci-contre) ou le saumon épicé à la thaïe (voir page 94). Le saumon en boîte est excellent dans les sandwichs, écrasé tel quel, avec ses arêtes, pour profiter d'un apport maximal de calcium. Une portion de sandwich de pain de mie au saumon couvrira ainsi plus de 20 % de vos besoins journaliers en calcium.

Sardines Bourrées de protéines, les sardines contiennent aussi des quantités non négligeables de nutriments tels que les acides gras, le fer, la vitamine D et le zinc. Grillées fraîches ou en boîte, dans une ciabatta toute chaude, elles constituent une idée de repas simple et rapide, et leurs arêtes comestibles vous fourniront un apport supplémentaire en calcium.

Saumon en croûte à l'estragon

Ce saumon en croûte, entouré d'une feuille de brick, est un plat principal idéal, qui fera la joie de toute la famille. Pensez à consommer régulièrement du saumon, riche en acides gras essentiels, pendant votre grossesse. Demandez à votre poissonnier des pavés épais, ou à défaut, remplacez chaque pavé par deux filets plus fins, superposés et coupés en deux.

Temps de préparation : **15 minutes**
Temps de cuisson : **20 minutes**
Pour **4 personnes**

Riche en : iode, acides gras oméga 3, protéines et vitamines A, C et D

- *4 cuillères à dessert de ricotta*
- *Le jus et le zeste de 2 citrons verts*
- *2 cuillères à soupe d'estragon frais haché*
- *4 pavés de saumon*
- *8 feuilles de brick*
- *Huile de colza, pour badigeonner*
- *Poivre noir à volonté*

■ Préchauffez le four à 190°C.
■ Mélangez la ricotta, le zeste de citron vert et l'estragon.
■ Pratiquez horizontalement une entaille dans chaque pavé de saumon et garnissez-la d'un peu de préparation au fromage.
■ Sur la surface de travail, étalez 1 feuille de brick et badigeonnez-la d'huile. Posez au centre un pavé de saumon, arrosez d'un peu de jus de citron vert, salez et poivrez. Enveloppez soigneusement le saumon de pâte, de sorte que l'enveloppe soit bien hermétique. Huilez légèrement une autre feuille de pâte, y déposer le premier feuilleté puis repliez soigneusement la deuxième enveloppe.
■ Déposez le feuilleté sur la plaque du four et préparez les autres pavés de saumon de la même façon.
■ Enfournez la lèchefrite et laissez cuire 20 minutes, jusqu'à ce que la pâte soit dorée.

Brochettes de poisson au lait de coco

La lotte se prête parfaitement à la préparation de ce plat d'inspiration thaïe, mais vous pouvez tout à fait la remplacer par du grenadier, par exemple.
Ces brochettes sont relevées de chili rouge qui, selon les spécialistes, stimule l'appétit, augmente le flux sanguin et soulage les problèmes digestifs.

Temps de préparation : **5 minutes**
Temps de macération : **30 minutes**
Temps de cuisson : **10 minutes**
Pour **4 personnes**

Riche en : **bêta-carotène, iode, protéines** et **vitamine C**

- *1 cuillère à café de graines de coriandre*
- *1 cuillère à café de graines de cumin*
- *1 brin de lemon-grass effeuillé et finement haché*
- *2 gousses d'ail épluchées*
- *1 petit piment rouge (de type chili) coupé en deux et évidé (facultatif)*
- *50 g de coriandre fraîche*
- *200 ml de lait de coco*
- *4 filets de lotte de 140 g chacun, sans la peau, coupés en gros morceaux*
- *1 poivron rouge coupé en dés*
- *1 poivron jaune coupé en dés*

■ Dans une casserole à fond épais, mettre les graines de coriandre et de cumin et faire chauffer 1 minute à petit feu. Retirer du feu et verser les graines dans le récipient du robot.

■ Ajouter le lemon-grass, l'ail, le piment, la coriandre et le lait de coco et mixer pour obtenir une préparation homogène.

■ Poser le poisson dans un grand plat, l'arroser de cette préparation, couvrir et laisser mariner au réfrigérateur pendant au moins 30 minutes.

■ Pendant ce temps, préchauffer le four à température élevée. Enfiler les morceaux de poisson sur 4 longues brochettes métalliques en intercalant des morceaux de poivron rouge et jaune.

■ Faites griller les brochettes 10 minutes environ, en les retournant de temps en temps, jusqu'à ce que le poisson soit cuit à cœur. Servir avec du riz et une salade verte tiède (voir page 114).

Marlin grillé au fenouil

Le marlin est un poisson charnu qui se prête parfaitement aux grillades. Vous pouvez le remplacer par de l'espadon ou du thon. Servi avec des pommes de terre nouvelles, il fera un délicieux dîner.

Temps de préparation : **10 minutes**
Temps de cuisson : **20 minutes**
Pour **2 personnes**

Riche en : **iode, acides gras oméga 3, protéines** et **vitamines A et D**

- *1 fenouil*
- *100 ml de vin blanc sec*
- *100 ml d'eau*
- *1 belle branche de romarin*
- *5 grains de poivre noir*
- *2 steaks de marlin*
- *Huile d'olive, pour badigeonner*
- *2 cuillères à soupe de crème fraîche épaisse*
- *Sel et poivre noir, à discrétion*

■ Laver le fenouil, couper les parties vertes, les réserver. Émincer le bulbe.
■ Pour préparer la sauce, mettre le vert du fenouil, le vin, l'eau, le romarin et les grains de poivre dans une petite casserole et porter à ébullition, à feu doux. Laisser frémir 15 à 20 minutes, jusqu'à ce que la sauce ait réduit de moitié. Retirer du feu.
■ Pendant ce temps, préchauffer le four sur position grill. Poser le poisson et les tranches de fenouil sur la lèchefrite et badigeonner le tout d'un peu d'huile d'olive. Faire griller pendant 10 minutes, jusqu'à ce que le poisson soit cuit à cœur, en le retournant en cours de cuisson. Retirer les tranches de fenouil avant la fin de la cuisson si elles commencent à brûler.
■ Lorsque le poisson est presque cuit, filtrer la sauce et la verser dans une casserole propre. Réchauffer à petit feu, puis mélanger la crème. Laisser cuire 1 à 2 minutes supplémentaires à feu doux, assaisonner et napper le poisson de sauce au romarin au moment de servir.

Maquereau pané aux flocons d'avoine et nappé de vinaigre de framboises

Temps de préparation : **15 minutes**
Temps de cuisson : **20 à 25 minutes**
Pour **4 personnes**

Riche en : **fibres, acides gras oméga 3, protéines, vitamines A, C et D**

Pour la sauce :
- *200 g framboises*
- *1 cuillère à soupe de sucre en poudre*
- *2 cuillères à soupe de vinaigre de vin rouge*

Pour le poisson :
- *4 maquereaux frais en filets*
- *Le jus d'un beau citron*
- *4 cuillères à soupe de persil ciselé*
- *1 œuf battu*
- *3 ou 4 cuillères à soupe de flocons d'avoine*
- *Poivre noir*

■ Préchauffer le four à 180°C.
■ Préparer la sauce : dans une petite casserole, mélanger les framboises et le sucre et faire fondre quelques minutes. Ajouter le vinaigre de vin, mélanger et laisser refroidir.
■ Arroser les filets de poisson de jus de citron et saupoudrer de persil haché.
■ Dans une grande assiette, battre l'œuf en omelette. Dans une seconde assiette, verser les flocons d'avoine et poivrer. Passer les filets de poisson dans l'œuf battu, puis dans les flocons d'avoine, jusqu'à ce qu'ils soient bien panés.
■ Disposer le poisson sur la lèchefrite huilée et enfourner 20 à 25 minutes, jusqu'à ce que les flocons d'avoine soient bien dorés.
■ Servir nappé de vinaigre de framboises.

Pilaf de maquereau fumé

Cette préparation relevée, à base de maquereau riche en huiles essentielles, fera un excellent repas. Vous pouvez la préparer d'avance et la conserver (sans œuf) jusqu'au lendemain au réfrigérateur, ce qui lui permettra de développer pleinement tous ses arômes.

Temps de préparation : **10 minutes**
Temps de cuisson : **35 à 40 minutes**
Pour **2 personnes**

Riche en : **fer, acides gras oméga 3, protéines** et **vitamines A et D**

- *1 cuillère à dessert d'huile de colza*
- *1 oignon épluché et finement haché*
- *1 cuillère à café de cumin moulu*
- *1 cuillère à café de poudre de curcuma*
- *1 cuillère à café de coriandre en poudre*
- *1/4 de cuillère à café de poudre de piment (moyennement relevée)*
- *150 g de riz brun*
- *400 ml d'eau*
- *2 œufs durs*
- *2 petits filets de maquereau fumé*
- *Sel et poivre noir à volonté*
- *Persil frais ciselé, pour décorer*

■ Mettre l'huile à chauffer dans une grande casserole et faire dorer l'oignon 4 à 5 minutes, à feu doux. Ajouter les épices et laisser cuire 1 à 2 minutes supplémentaires avant d'ajouter le riz et l'eau. Mélanger, couvrir et porter à ébullition. Laisser mijoter pendant 25 à 30 minutes, à petit bouillon, jusqu'à ce que le riz soit cuit.
■ Pendant ce temps, écaler les œufs et les couper en rondelles. Enlever la peau des filets de maquereau et les émietter.
■ Quelques minutes avant la fin de la cuisson du riz, ajouter les morceaux de maquereau et bien mélanger le tout. Assaisonner à volonté et servir décoré de rondelles d'œufs durs et d'un hachis de persil.

Viandes

Poulet au chorizo et aux olives

Ce plat d'inspiration espagnole est encore meilleur le lendemain. Il se congèle très bien. Vous pouvez le servir avec du riz ou le transformer, selon nos suggestions, en plat unique.

Temps de préparation : **15 minutes**
Temps de cuisson : **50 minutes**
Pour **4 personnes**

Riche en : **bêta-carotène**, **protéines** et **vitamine C**

- *2 cuillères à soupe d'huile d'olive*
- *4 blancs de poulet avec la peau*
- *2 gros oignons épluchés et émincés*
- *4 gousses d'ail épluchées et grossièrement hachées*
- *150 g de chorizo en tranches*
- *1 boîte de 410 g de tomates coupées en morceaux*
- *1 cuillère à café de thym*
- *150 g d'olives vertes farcies*
- *2 courgettes coupées en rondelles de 1 cm*
- *Poivre noir à volonté*
- *Persil frais ciselé, pour décorer*

■ Dans une grande casserole, mettre l'huile à chauffer et faire dorer les blancs de poulet 2 minutes environ de chaque côté.
■ Retirer les morceaux de poulet et mettre les oignons, l'ail et le chorizo dans la casserole. Laisser revenir 5 minutes.

■ Remettre les blancs de poulet dans la casserole, ajouter les tomates, le thym et les olives. Bien mélanger et poivrer généreusement. Porter à ébullition, couvrir et laisser mijoter à feu doux pendant 35 minutes, en remuant de temps en temps.
■ Ajouter ensuite les courgettes et laisser cuire encore 10 à 15 minutes.
■ Saupoudrer de persil ciselé, rectifier l'assaisonnement et servir accompagné de riz, de pommes de terre ou de belles tranches de pain de campagne.

Et pourquoi pas...?

Pour transformer cette recette en plat unique, ajoutez des pommes de terre nouvelles coupées en quatre après 20 minutes de cuisson. Elles s'imprégneront délicieusement des saveurs du ragoût.

Poulet aux asperges et à la crème

Tout simplement délicieux, ce plat riche en folates, on ne peut plus facile à réaliser, fera la joie de vos invités d'un soir. Les asperges vous apportent un complément de vitamines A, B₂ et C.

Temps de préparation : **10 minutes**
Temps de cuisson : **30** à **35 minutes**
Pour **4 personnes**

Riche en : **folates, protéines** et **vitamine C**

- *1 cuillère à soupe d'huile d'olive*
- *4 beaux blancs de poulet, sans la peau, coupés en dés*
- *3 feuilles de laurier*
- *150 g d'asperges coupées en tronçons de 2,5 cm*
- *100 ml de vin blanc sec*
- *2 courgettes moyennes coupées en rondelles épaisses*
- *1 cuillère à dessert de maïzena*
- *200 ml de crème fleurette*
- *Sel et poivre noir, à discrétion*

■ Dans une grande casserole anti-adhésive, faire chauffer l'huile et mettre les blancs de poulet à cuire à feu doux, en les retournant de temps en temps, pendant 10 minutes environ. Ajouter les feuilles de laurier et les asperges et laisser cuire encore 5 minutes.
■ Après avoir ajouté le vin et les courgettes, porter à ébullition, mélanger et laisser mijoter 15 à 20 minutes, jusqu'à ce que le poulet soit cuit. Retirer les feuilles de laurier.
■ Mélanger la maïzena et la crème, puis ajouter cette préparation au contenu de la casserole en remuant constamment, jusqu'à ce que l'ébullition reprenne et que la sauce épaississe légèrement. Rectifier l'assaisonnement et servir accompagné de pommes de terre à l'eau, de riz ou de pâtes, qui s'imprègneront de la sauce.

Et pourquoi pas...?

Si ce n'est pas la saison des asperges fraîches, vous pouvez utiliser des asperges en conserve, égouttées, que vous ajouterez 5 minutes avant la fin de la cuisson, ou bien encore 150 g de grains de raisin blanc épépinés.

Roulés de jambon et de poulet aux épinards

Un plat plein d'élégance, délicieux et très simple à réaliser, qui vous apportera, ainsi qu'à votre bébé, des protéines et du fer.

Temps de préparation : **10 minutes**
Temps de cuisson : **35 minutes**
Pour **2 personnes**

Riche en : **fer** et **protéines**

- *2 blancs de poulet sans la peau*
- *40 g d'épinards hachés décongelés*
- *1 cuillère à soupe de persil plat haché*
- *Le zeste d'1/2 citron*
- *1/4 de cuillère à café de noix muscade en poudre*
- *1 cuillère à soupe de mascarpone*
- *2 belles tranches de jambon cru ou 4 petites*
- *1 cuillère à dessert d'huile d'olive*

■ Préchauffer le four à 180°C.
■ Pratiquer une entaille dans l'épaisseur de chaque blanc de poulet, de façon à former une poche.
■ Dans un petit saladier, mélanger les épinards, le persil, le zeste de citron, la noix muscade et le mascarpone. À l'aide d'une cuillère, garnir chaque blanc de poulet de la moitié de cette préparation,.
■ Enrouler délicatement chaque blanc de poulet dans une tranche de jambon. Fixer à l'aide de cure-dents.
■ Dans une poêle, faire chauffer l'huile et laisser cuire les blancs de poulet 3 minutes de chaque côté, jusqu'à ce qu'ils soient légèrement dorés.
■ Les déposer dans un plat allant au four, couvrir de papier aluminium ou d'un couvercle et laisser cuire environ 30 minutes.
■ Servir accompagné d'une salade verte.

Roulés de jambon et de poulet aux épinards

Poulet sauté aux pois gourmands et aux gombos

Poulet grillé à la purée de patates douces et de fenouil

La saveur des patates douces, riches en bêta-carotène, se marie à merveille à celle des pommes de terre et du fenouil, réputé pour ses vertus digestives et qui donne à cette purée une petite touche anisée.

Temps de préparation : **15 minutes**
Temps de cuisson : **20 à 25 minutes**
Pour **2 personnes**

Riche en : **bêta-carotène, fibres, protéines** et **vitamine C**

- *2 blancs de poulet sans la peau*
- *1/2 poivron jaune coupé en morceaux*
- *1/2 poivron rouge coupé en morceaux*
- *Huile de colza, pour badigeonner*
- *1 grosse pomme de terre épluchée et coupée en dés*
- *1 patate douce moyenne épluchée et coupée en dés*
- *1 fenouil finement émincé*
- *Beurre et lait, pour la purée*
- *Sel et poivre à volonté*

■ Badigeonner les blancs de poulet et les poivrons d'un peu d'huile de colza.
■ Plonger les morceaux de pommes de terre et de patates douces dans une casserole d'eau bouillante. Placer le fenouil dans un panier, au-dessus de la casserole, et laisser cuire 15 à 20 minutes.
■ Pendant ce temps, mettez le grill sur le feu , et lorsqu'il est bien chaud, faire cuire les blancs de poulet à feu doux pendant environ 15 minutes, en les retournant de temps en temps, jusqu'à ce que leur jus soit bien clair lorsqu'on les pique avec la pointe d'un couteau. Faites griller les poivrons 2 à 3 minutes, jusqu'à ce que la peau commence à noircir et à se détacher.
■ Égoutter les pommes de terre et les patates douces et les écraser en purée, en incorporant le beurre et le lait. Mélanger le fenouil, réduit en purée, saler et poivrer.
■ Servir le poulet et les poivrons grillés sur un lit de purée.

Poulet sauté aux pois gourmands et aux gombos

Les gombos apportent du magnésium, du calcium et de la vitamine E. Mieux vaut les faire cuire préalablement à la vapeur, pendant que vous préparez les différents ingrédients. Pour un sauté parfaitement réussi, n'oubliez pas que les légumes doivent rester légèrement croquants et cuire un minimum de temps pour conserver un maximum de nutriments.

Temps de préparation : **15 minutes**
Temps de cuisson : **5 minutes**
Pour **2 personnes**

Riche en : **calcium, fibres, folates, protéines** et **vitamines C et E**

- *100 g de gombos équeutés*
- *1 à 2 cuillères à soupe d'huile de colza*
- *2 blancs de poulet, sans la peau, coupés en fines lanières*
- *2 tiges de ciboule finement émincées*
- *1 morceau de gingembre frais de 2,5 cm, râpé*
- *100 g de pois gourmands équeutés*
- *1 poivron jaune finement émincé*
- *1 cuillère à soupe de sauce de soja à teneur réduite en sel*
- *1 cuillère à soupe de Xérès sec*

■ Cuire 5 minutes les gombos à la vapeur.
■ Pendant ce temps, faire chauffer 1 cuillère à soupe d'huile dans un wok ou une grande poêle et y mettre les morceaux de poulet. Faire sauter 2 à 3 minutes, jusqu'à ce que la viande soit blanche et bien cuite. Retirer le poulet.
■ Rajouter un peu d'huile pour faire sauter le reste des ingrédients, sans la sauce de soja ni le Xérès, pendant 2 minutes.
■ Remettre le poulet dans la poêle et ajouter à la préparation, en mélangeant, la sauce de soja et le Xérès.
■ Servir sans attendre, avec du riz ou des nouilles.

Poulet aux tomates cerises

Ce plat tout simple est délicieux accompagné d'une purée de pommes de terre et de petits pois ou d'une salade. Prêt en un clin d'œil et savoureux à souhait, il est riche en vitamine C et deviendra un incontournable à l'heure du dîner tout au long de votre grossesse.

Temps de préparation : **15 minutes**
Temps de cuisson : **20** à **25 minutes**
Pour **2 personnes**

Riche en : **protéines** et **vitamine C**

- *1 cuillère à soupe d'huile de colza*
- *2 blancs de poulet avec la peau*
- *1/2 oignon rouge épluché et finement haché*
- *20 tomates cerises coupées en deux*
- *1 cuillère à soupe de vinaigre balsamique*
- *1/2 cuillère à café de sucre*
- *Quelques feuilles d'origan, pour décorer*

- Préchauffer le four à 160°C.
- Dans une poêle anti-adhésive, faire chauffer l'huile et déposer les morceaux de poulet, la peau contre le fond de la poêle. Couvrir et laisser cuire à petit feu pendant 10 minutes. Retourner la viande et la faire cuire 10 minutes de l'autre côté, jusqu'à ce que le jus soit bien clair lorsqu'on la pique avec la pointe d'un couteau.
- Retirer les blancs de poulet et les déposer sur une assiette contenant un peu d'eau, afin qu'ils ne se dessèchent pas. Couvrir et garder au chaud dans le four.
- Pendant ce temps, augmenter le feu sous la poêle et faire revenir l'oignon pendant 5 minutes avant d'ajouter les tomates. Laisser fondre les tomates 8 à 10 minutes, en remuant souvent.
- Ajouter le vinaigre et le sucre, tout en remuant, et laisser encore 1 à 2 minutes sur le feu.
- Sortir le poulet du four et servir nappé de purée de tomates.

Et pourquoi pas...?

Pour une préparation plus diététique encore, retirer la peau et toute reste de gras des blancs de poulet. Il vous faudra surveiller de près la cuisson pour que la viande n'attache pas.

Plats principaux

103

Bœuf

Agneau

Porc

Poulet

Dinde

Viandes et volailles restent pour la majorité d'entre nous la principale source de protéines. Elles sont également riches en vitamines B et en divers minéraux, comme le fer et le zinc. Pour profiter pleinement des bienfaits de la viande — rouge ou blanche –, choisissez-la de première fraîcheur, conservez-la dans de bonnes conditions et faites-la cuire comme il convient (voir pages 20 à 23).

Bœuf, agneau et porc La viande rouge reste numéro un en matière d'apport de fer et de protéines. Au Royaume-Uni, le foie, longtemps recommandé pour sa haute teneur en fer, est désormais déconseillé aux femmes enceintes (pour plus de détails, lire page 20). Vous pouvez le remplacer par de la viande de bœuf, de porc ou d'agneau. Le bœuf est le plus riche en fer, suivi de l'agneau, puis du porc. La viande rouge contient également du zinc. Choisissez de préférence des morceaux maigres, afin de limiter l'apport de matière grasse. Pour faire le plein de fer, essayez donc le goulasch de bœuf (voir page 111), le porc à l'orange et aux blettes (voir page 107) ou les côtes d'agneau à la libanaise (voir page 109).

Poulet et dinde Les parties blanches des volailles constituent une excellente source de protéines, à faible teneur en matière grasse, tandis que les chairs sombres sont plus riches en fer, en zinc et en sélénium. Consommez les deux pour profiter au mieux de leurs apports nutritionnels. Moins riches en fer que la viande rouge maigre, le poulet et la dinde en contiennent néanmoins en quantité non négligeable. Retirez la peau et le gras afin de limiter votre apport de matière grasse. Cuit en un rien de temps, le poulet est idéal pour improviser un repas de tous les jours. Goûtez le poulet aux tomates cerises (voir page 103) ou le poulet grillé à la purée de patates douces et de fenouil (voir page 102).

Poulet en cocotte aux pruneaux et aux pignons

Les pruneaux sont riches en fer, en fibres solubles et en potassium. Naturellement sucrés, ils accompagnent à merveille ce poulet mijoté, auquel les pignons donnent une saveur délicate et une petite touche croquante. Ce goût sucré fait souvent la joie des enfants. Si besoin, vous pouvez les déguiser sous forme de purée, additionnés d'un peu de jus de cuisson. Et ne craignez rien : l'alcool contenu dans cette recette a tout le temps de s'évaporer pendant la cuisson.

Temps de préparation : **10 minutes**
Temps de cuisson : **40** à **45 minutes**
Pour **4 personnes**

Riche en : fibres, protéines et vitamines B$_3$ et E

- *1 cuillère à soupe d'huile d'olive ou de colza*
- *8 cuisses de poulet sans la peau (mais non désossées)*
- *1 oignon épluché et émincé dans le sens de la longueur*
- *200 g de pruneaux dénoyautés*
- *50 g de pignons*
- *100 ml de vin blanc sec*
- *2 cuillères à soupe de persil plat ciselé*
- *Sel et poivre noir*

■ Dans une grande poêle, faire chauffer l'huile puis mettre les cuisses de poulet à dorer pendant 5 à 10 minutes. Ajouter l'oignon et laisser cuire à petit feu environ 10 minutes, en remuant de temps en temps.
■ Mélanger au contenu de la poêle les pruneaux, les pignons et le vin, couvrir et laisser mijoter 15 minutes. Ajouter enfin le persil et laisser cuire encore 5 minutes.
■ Saler, poivrer et servir accompagné de graine de couscous ou de riz.

Paupiettes de dinde à la marmelade d'abricot

La saveur des abricots, celle des graines de cardamome et de la dinde se complètent parfaitement. Coupez ces paupiettes en tranches avant de servir, pour mettre en valeur la note verte du basilic.

Temps de préparation : **20 minutes**
Temps de macération : **1 nuit**
Temps de cuisson : **40 minutes**
Pour **4 personnes**

Riche en : **bêta-carotène** et en **protéines**

Pour la marmelade :
- *200 g d'abricots secs*
- *3 gousses de cardamome*
- *250 ml d'eau bouillante*

Pour les paupiettes :
- *4 filets de dinde de 100 g chacun*
- *4 tranches de poitrine bien maigre*
- *8 belles feuilles de basilic*
- *2 cuillères à café d'huile de colza*
- *150 ml de vin blanc sec*
- *1/2 oignon rouge épluché et émincé*
- *Poivre noir à volonté*
- *Feuilles de basilic, pour décorer*

■ Pour préparer la marmelade, mettre les abricots dans un saladier, vider les gousses de cardamome de leurs graines et mélanger celles-ci aux abricots. Arroser d'eau bouillante et laisser tremper toute la nuit.

■ Pour préparer les paupiettes, placer chaque filet de dinde entre deux feuilles de papier sulfurisé et l'aplatir au rouleau à pâtisserie jusqu'à une épaisseur de 1 cm.

■ Poser sur chaque filet une tranche de poitrine, poivrer légèrement et déposer 2 feuilles de basilic sur le dessus. Rouler le filet et le fermer à l'aide de 2 ou 3 cure-dents.

■ Dans une casserole à fond épais, mettre la moitié de l'huile à chauffer et faire dorer les paupiettes, à feu doux, pendant 5 minutes environ de chaque côté. Ajouter le vin blanc, couvrir et laisser mijoter à petit feu 30 à 40 minutes, jusqu'à ce que la viande soit cuite à point.

■ Pendant ce temps, finir de préparer la marmelade en versant le contenu du saladier dans un robot. Mixer légèrement pour obtenir une compote contenant encore des morceaux.

■ Faire chauffer le reste de l'huile dans une poêle et laisser fondre l'oignon 5 minutes à feu doux. Ajouter la marmelade d'abricot et laisser mijoter 1 ou 2 minutes.

■ Une fois les paupiettes de dinde cuites, les retirer de la casserole et les transférer sur une assiette chaude. Ajouter le jus de cuisson à la marmelade d'abricot et porter brièvement à ébullition

■ Retirer les cure-dents et couper chaque bouchée en 4 ou 5 tranches. Sur des assiettes chaudes, disposer chaque tranche de viande sur un lit de marmelade d'abricot et décorer de feuilles de basilic.

Sauté de porc aux poivrons

La viande de porc maigre est idéale pour les préparations sautées. Pour cette recette, nous avons choisi des escalopes de porc, mais vous pouvez utiliser des morceaux déjà coupés, dans le filet, par exemple. Achetez au supermarché de la sauce aigre-douce pimentée ou préparez-la vous-même (voir page 93). Le gingembre est efficace contre les nausées et l'ail renforcera votre système immunitaire.

Temps de préparation : **10 minutes**
Temps de cuisson : **10 minutes**
Pour **2 personnes**

Riche en : **protéines, vitamines B$_1$ et C**

- *1 cuillère à soupe d'huile de colza*
- *250 g de viande de porc maigre émincée*
- *4 tiges de ciboule en tronçons de 1 cm*
- *1/2 poivron rouge ou jaune évidé et finement émincé*
- *1 morceau de gingembre frais de 2,5 cm, râpé*
- *2 gousses d'ail épluchées et pressées*
- *2 pak choï ou 1/2 petit chou blanc coupé en lanières*
- *2 cuillères à soupe de sauce aigre-douce pimentée*

■ Mettre l'huile à chauffer dans un wok ou une grande poêle. Faire sauter les morceaux de viande à feu moyen, pendant 5 minutes, jusqu'à ce qu'ils soient cuits à point.

■ Ajouter la ciboule et les poivrons et faire cuire 2 minutes à feu vif. Ajouter le gingembre, l'ail et le pak choï ou le chou, mélanger et laisser cuire 2 minutes.

■ Pour finir, incorporer la sauce aigre-douce, en enrobant bien tous les ingrédients. Servir sans attendre, seul ou avec du riz.

Et pourquoi pas...?
Mélangez 1 cuillère à soupe de sauce de soja à teneur réduite en sel et 2 cuillères à soupe de coriandre fraîche hachée pour remplacer la sauce aigre-douce.

Plats principaux

Brochettes de porc au basilic et au citron

Escalopes de porc au céleri et à la gelée de pomme

Pour préparer cette délicieuse recette, il vous faut de la gelée de pomme. Vous en trouverez dans la plupart des grands supermarchés, à moins que vous ne soyez une adepte des confitures maison. Riche en nutriments et pauvre en graisses, cette recette est idéale pendant la grossesse.

Temps de préparation : **10 minutes**
Temps de cuisson : **45 minutes**
Pour **2 personnes**

Riche en : **protéines** et **vitamines** B$_1$ et **C**

- *1 cuillère à soupe d'huile d'olive*
- *2 branches de céleri coupées en morceaux de 1 cm*
- *2 escalopes de porc*
- *2 pommes (de type Cox's Orange Pippin) évidées et émincées mais non épluchées*
- *1 cuillère à café de maïzena délayée dans 150 ml d'eau*
- *2 cuillères à soupe de gelée de pomme*
- *Sel et poivre noir à volonté*

■ Préchauffer le four à 180°C.
■ Dans une cocotte allant au four, faire chauffer l'huile et mettre le céleri à cuire à feu doux pendant 5 minutes. Retirer le céleri avec une écumoire.
■ Faire dorer les morceaux de porc à feu moyen, 2 minutes de chaque côté.
■ Disposer les tranches de pommes et les morceaux de céleri sur la viande, puis ajouter petit à petit la maïzena diluée dans l'eau, en remuant continuellement jusqu'à ce que la sauce épaississe.
■ Mélanger au contenu de la cocotte la gelée de pomme et attendre qu'elle ait totalement fondu. Assaisonner et couvrir.
■ Mettre au four pendant 45 minutes, jusqu'à ce que la viande soit cuite à cœur. Servir avec des pommes de terre nouvelles.

Brochettes de porc au basilic et au citron

Une savoureuse recette à faire au barbecue, servie avec de la graine de couscous à la ciboulette (voir page 77) ou des pommes de terres nouvelles et une salade verte. Le filet de porc est pauvre en graisse, mais riche en vitamine B$_1$.

Temps de préparation : **5 minutes**
Temps de macération : **30 minutes**
Temps de cuisson : **10** à **12 minutes**
Pour **4 brochettes**

Riche en : **protéines** et **vitamines** B$_1$ et **C**

- *400 g de filet de porc coupé en morceaux*
- *1/4 d'ananas coupé en morceaux*
- *Le zeste d'un citron*
- *8 feuilles de basilic grossièrement hachées, plus quelques feuilles pour décorer*
- *1 cuillère à soupe d'huile d'olive*

■ Dans un récipient non métallique, saupoudrer les morceaux de porc du zeste de citron, ajouter les feuilles de basilic et arroser d'un filet d'huile d'olive. Couvrir et laisser mariner 30 minutes au réfrigérateur.
■ Enfiler les morceaux de porc et d'ananas sur des brochettes et les faire cuire pendant 5 ou 6 minutes de chaque côté, au barbecue ou au grill, jusqu'à ce que le jus de la viande soit bien clair. Décorer de quelques feuilles de basilic.

Porc à l'orange et aux blettes

Vous pouvez préparer cette recette avec l'une ou l'autre des nombreuses variétés de blettes (frisées, à cardes, à côtes rouges ou jaunes, etc.). Riche en folates, ce plat est particulièrement recommandé aux femmes qui désirent une grossesse ou sont enceintes de moins de douze semaines.

Temps de préparation : **15 minutes**
Temps de cuisson : **35 à 40 minutes**
Pour **2 personnes**

Riche en : **folates, protéines** et **vitamines B$_1$** et **C**

- *1 cuillère à soupe d'huile d'olive*
- *1 oignon épluché et haché*
- *2 côtes de porc fines, dégraissées*
- *1/2 cuillère à café de graines de cumin écrasées*
- *1/2 cuillère à café de graines de coriandre écrasées*
- *150 g de blettes lavées et coupées en gros morceaux*
- *2 belles oranges juteuses coupées en quartiers et épluchées à vif*

■ Mettre l'huile à chauffer dans une grande poêle et faire fondre l'oignon à feu doux pendant 5 à 7 minutes. Rassembler les oignons d'un côté de la poêle et ajouter les morceaux de porc. Augmenter légèrement le feu et faire dorer la viande 5 minutes de chaque côté.

■ Baisser le feu, répartir à nouveau les oignons au fond de la poêle et saupoudrer la viande de graines de cumin et de coriandre. Couvrir et laisser cuire 15 minutes.

■ Retourner les côtes de porc, mélanger les blettes et laisser mijoter 5 minutes avant d'ajouter les quartiers d'oranges. Mélanger délicatement et laisser cuire encore 5 à 10 minutes, jusqu'à ce que les blettes aient fondu et que la viande soit cuite à point. Servir accompagné de pommes de terre nouvelles, de riz ou de pâtes.

Gigot d'agneau aux haricots

Un grand classique, dans lequel les haricots parfumés à l'estragon se gorgent de jus du gigot. Servez avec des petits pois et des pommes de terre sautées pour un vrai repas du dimanche, ou accompagné d'un gratin de pommes de terre pour un dîner entre amis.

Temps de préparation : **10 minutes**
Temps de trempage : **1 nuit**
Temps de cuisson : **2 heures**
Pour **6 personnes**

Riche en : **calcium, fibres, protéines** et **fer**

- *200 g de haricots secs*
- *1 gigot d'agneau de 1,5 à 2 kg*
- *6 gousses d'ail grossièrement émincées dans le sens de la longueur*
- *6 petits oignons épluchés et coupés en quatre*
- *4 belles branches d'estragon*
- *600 ml de bouillon de viande maison (ou de bouillon cube)*
- *Sel et poivre noir à volonté*
- *Estragon frais haché, pour décorer*

■ Recouvrir les haricots d'une grande quantité d'eau froide et laisser tremper toute la nuit.

■ Le lendemain, une fois égouttés et rincés, les transvaser dans une grande casserole. Couvrir à nouveau d'eau froide et porter à ébullition. Laisser cuire pendant 10 minutes à gros bouillon, puis égoutter et laisser refroidir.

■ Préchauffer le four à 170°C.

■ Préparer l'agneau en le dégraissant le plus possible. Pratiquer quelques entailles dans le gigot et piquer la viande de quelques lamelles d'ail.

■ Transvaser les haricots dans une cocotte allant au four, suffisamment grande pour contenir les haricots et le gigot (voir note ci-dessous). Ajouter les oignons, l'ail restant, l'estragon, le bouillon, et pour finir le gigot. Saler, poivrer généreusement, couvrir et enfourner. Laisser cuire pendant 1 heure 30.

■ Sortir du four, retirer le couvercle et vérifier qu'il reste suffisamment de liquide pour que les haricots finissent de cuire. Rajouter si nécessaire un peu de bouillon ou d'eau. Remettre le couvercle et enfourner pour 30 minutes supplémentaires, jusqu'à ce que les haricots soient fondants et que le jus du gigot soit bien clair.

■ Poser le gigot sur un plat à découper et servir des tranches épaisses sur un lit de haricots, décorées d'un hachis d'estragon.

Et pourquoi pas...?

Si vous ne disposez pas d'un faitout suffisamment grand pour contenir les haricots et le gigot, demandez à votre boucher de couper le gigot en deux. Vous pouvez aussi préparer la moitié d'un gigot avec seulement 150 g de haricots, pour 3 ou 4 personnes. Dans ce cas, comptez environ 30 minutes de cuisson en moins.

Côtes d'agneau et fondue de tomates à la menthe

Un plat savoureux et facile à réaliser, pour régaler des invités. La saveur de la menthe, toute de légèreté et de fraîcheur, accompagne merveilleusement la viande d'agneau. Délicieuse, la sauce est également riche en vitamine C et en lycopène, un puissant anti-oxydant. Servez accompagné de cresson.

Temps de préparation : **10 minutes**
Temps de cuisson : **40 à 45 minutes**
Pour **4 personnes**

Riche en : **fer, protéines, vitamine C** et **zinc**

- *250 g de tomates cerises ou de petites olivettes finement hachées*
- *1/2 oignon rouge finement haché*
- *2 branches de menthe fraîche effeuillées et hachées*
- *Sel et poivre noir*
- *1/2 oignon rouge finement émincé*
- *4 côtes d'agneau épaisses, dans le filet, dégraissées*
- *Le jus d'1/2 citron*

■ Préchauffer le four à 180°C.
■ Pour préparer la sauce, mélanger les tomates, le hachis d'oignon rouge et la menthe dans un petit saladier. Poivrer et écraser légèrement avec le dos de la cuillère pour bien en extraire le jus. Couvrir et mettre au frais.
■ Garnir le fond d'un plat à gratin du hachis d'oignon restant et poser par-dessus les côtes d'agneau. Arroser de jus de citron, saler et poivrer.
■ Enfourner et laisser cuire 40 à 45 minutes, jusqu'à ce que la viande soit tendre et que les oignons aient fondu dans le jus. Servir chaque morceau de viande sur un lit d'oignons, accompagné de sauce.

Côtes d'agneau à la libanaise

Ces savoureuses côtes d'agneau farcies exigent une préparation minimale. Le cumin, les noix et les fruits donnent à cette recette une élégante saveur orientale. Servez avec une salade de boulgour aux graines de citrouille (voir page 117) ou un risotto aux abricots et au gingembre (voir page 75).

Temps de préparation : **10 minutes**
Temps de cuisson : **40 à 45 minutes**
Pour **4 personnes**

Riche en : **bêta-carotène, fibres, protéines, vitamines C** et **E** et **zinc**

- *50 g d'abricots secs*
- *25 g de noix*
- *1 oignon épluché et coupé en quatre*
- *10 g de persil frais*
- *1 cuillère à café de cumin en poudre*
- *4 côtes d'agneau moyennes, dans le filet, dégraissées*

■ Préchauffer le four à 180°C (thermostat 5-6).
■ Mettre les abricots, les noix, l'oignon, le persil et le cumin dans le robot et mixer pour bien mélanger tous les ingrédients.
■ Répartir un quart de cette préparation sur chaque côte d'agneau, replier la viande pour former une paupiette et la ficeler. Déposer les côtes d'agneau ainsi roulées dans un plat peu profond allant au four.
■ Cuire pendant 45 minutes, jusqu'à ce que le jus de la viande soit bien clair lorsque vous le piquez avec la pointe du couteau.

Bœuf farci aux oignons rouges et aux raisins secs

Dans certains supermarchés, vous trouverez des tranches de gîte à la noix pré-emballées, prêtes à farcir. Sinon, demandez à votre boucher quelques tranches bien fines. Riche en fer, le bœuf est excellent pour lutter contre l'anémie.

Temps de préparation : **20 minutes**
Temps de cuisson : **1 heure 20**
Pour **4 personnes**

Riche en : **fer, protéines, vitamine B$_{12}$** et **zinc**

- *2 cuillères à café d'huile d'olive*
- *1 oignon rouge épluché et finement émincé*
- *100 g de raisins secs*
- *1/2 cuillère à café de cannelle en poudre*
- *4 tranches de gîte à la noix de 100 g chacune*
- *250 ml de bouillon de bœuf*

■ Préchauffer le four à 180°C.
■ Dans une poêle, faire chauffer la moitié de l'huile et laisser blondir l'oignon 5 minutes à petit feu. Ajouter les raisins secs et la cannelle et faire cuire encore 5 minutes. Retirer du feu et laisser refroidir.
■ Sur une planche à découper, aplatir et étirer chaque tranche de bœuf à l'aide d'un grand couteau. Déposer un quart de la farce à l'extrémité de chacune des tranches, puis la rouler et l'attacher, pour former une paupiette.
■ Mettre le reste de l'huile d'olive à chauffer dans la poêle et faire cuire les paupiettes 2 à 3 minutes de chaque côté, jusqu'à ce qu'elles soient dorées.
■ Poser les paupiettes dans un plat allant au four, arroser de bouillon, couvrir et laisser cuire au four 1 heure à 1 heure 30, jusqu'à ce que la viande soit bien tendre. Arroser de temps en temps en cours de cuisson.

Côtes d'agneau et fondue de tomates à la menthe

Gratin de bœuf
aux épinards

Le bœuf et les épinards sont excellents pour vos réserves de fer et de folates. Ce plat unique peut aussi s'accompagner de carottes ou de rutabagas, riches en bêta-carotène, et de pain croustillant pour le plaisir de saucer.

Temps de préparation : **25 minutes**
Temps de cuisson : **2 heures**
Pour **3 à 4 personnes**

Riche en : **fibres, folates, fer, protéines** et **vitamine C**

- *500 g de viande de bœuf hachée, maigre*
- *1 oignon épluché et finement haché*
- *1 cuillère à soupe d'huile d'olive (facultatif)*
- *1 cuillère à café de graines de fenouil écrasées*
- *2 cuillères à café de cumin en poudre*
- *1/2 cuillère à café de cannelle moulue*
- *300 ml de bouillon de bœuf*
- *1 cuillère à soupe rase de maïzena, diluée dans 2 cuillères à soupe d'eau froide*
- *250 g d'épinards frais lavés*
- *500 g de pommes de terre soigneusement brossées et coupées en fines rondelles*
- *15 g de beurre ou de margarine de tournesol fondu(e)*

■ Préchauffer le four à 180°C.
■ Dans une grande poêle anti-adhésive bien chaude, faire revenir la viande et le hachis d'oignon, sans matière grasse, pendant 10 minutes environ, jusqu'à ce que le bœuf soit légèrement doré. Ajouter, si nécessaire, un peu d'huile d'olive pour éviter que la préparation n'accroche.
■ Ajouter le fenouil, le cumin et la cannelle et laisser cuire 1 à 2 minutes. Verser ensuite le bouillon, couvrir et laisser mijoter 10 minutes.
■ Ajouter la maïzena diluée dans l'eau, en mélangeant continuellement jusqu'à ce que la sauce épaississe, soit 1 minute.
■ Dans une grande casserole, cuire les épinards 1 à 2 minutes pour qu'ils jettent leur eau et réduisent légèrement. Bien les égoutter.
■ À l'aide d'une cuillère, étaler la préparation à base de viande dans un grand plat à gratin, recouvrir d'épinards, d'une couche de rondelles de pommes de terre, puis de la viande hachée restante.

Terminer par une couche de pommes de terre se chevauchant légèrement. Badigeonner de beurre fondu.
■ Couvrir d'une feuille de papier aluminium et enfourner sur la lèchefrite pour 1 heure 30 de cuisson, jusqu'à ce que les pommes de terre soient bien cuites.

Goulasch de bœuf

Ce ragoût est un concentré de fer, essentiel pendant la grossesse. Servez-le accompagné de pommes de terre et de salade verte.

Temps de préparation : **10 minutes**
Temps de cuisson : **1 heure 30**
Pour **2 à 3 personnes**

Riche en : **bêta-carotène**, **fer**, **protéines** et **vitamine C**

- *1 cuillère à soupe d'huile de colza*
- *1 oignon épluché et haché*
- *1 cuillère à soupe de paprika*
- *1 cuillère à soupe de farine*
- *Sel et poivre noir à volonté*
- *350 g de viande de bœuf à braiser bien maigre, coupée en morceaux*
- *1 poireau nettoyé et coupé en tronçons de 2 cm*
- *2 belles carottes coupées en rondelles*
- *300 ml de coulis de tomate ou 1 boîte de 410 g de tomates en morceaux mixées et passées*
- *200 ml d'eau*

■ Préchauffer le four à 160°C.
■ Dans une grande poêle, faire chauffer l'huile et laisser blondir l'oignon à petit feu 2 à 3 minutes.
■ Pendant ce temps, verser le paprika, la farine et tous les condiments dans un grand sac plastique. Ajouter les morceaux de viande et secouer énergiquement afin de bien enrober la viande de farine et de condiments.
■ Ajouter les morceaux de viande farinés au contenu de la poêle et mélanger afin de bien les enrober d'oignons et d'huile. Transvaser cette préparation dans une cocotte allant au four, ajouter les poireaux, les carottes et le coulis de tomates ou les tomates avec leur eau. Bien mélanger, couvrir et laisser cuire 1 heure 30.
■ En fin de cuisson, mélanger à nouveau le ragoût et rectifier l'assaisonnement avant de servir.

Carbonade de bœuf à l'ancienne

Rien de plus simple à mitonner que ce ragoût. La bière a depuis toujours la réputation de favoriser la fabrication du lait : une bonne raison pour préparer cette recette en grande quantité et en congeler quelques portions, en prévision de l'arrivée du bébé.

Temps de préparation : **10 minutes**
Temps de cuisson : **1 heure 45**
Pour **4 personnes**

Riche en : **fer**, **protéines**, **vitamine B$_{12}$** et **zinc**

- *1 cuillère à soupe de farine*
- *1/2 cuillère à café de paprika*
- *Sel et poivre noir à volonté*
- *600 g de viande de bœuf à braiser coupée en dés*
- *2 oignons rouges épluchés et émincés*
- *400 ml de bière brune*
- *1 cuillère à soupe de ketchup ou de sauce Worcestershire*
- *150 g de petits champignons de Paris*

■ Préchauffer le four à 160°C.
■ Dans un grand sac plastique, verser la farine, le paprika et tous les condiments. Ajouter les morceaux de viande de bœuf et secouer énergiquement pour bien enrober la viande de farine et de condiments.
■ Mettre les oignons et la viande farinée dans un grand faitout, arroser de bière, ajouter le ketchup ou la sauce Worcestershire, mélanger le tout, puis couvrir et mettre au four pour 1 heure 15 de cuisson.
■ Sortir du four, ajouter les champignons et bien mélanger. Enfourner pour 30 à 40 minutes supplémentaires.
■ Servir avec des pommes de terre au four ou un gratin crémeux aux deux pommes (voir page 119).

Plats principaux

SALADES ET LÉGUMES

Salades fraîcheur • Légumes chauds

Salades fraîcheur

Salade de chou rouge

Si la salade de chou évoque pour vous une préparation dégoulinante de mayonnaise, l'heure est venue de réviser votre jugement. Cette salade de chou rouge, haute en couleur et tout à fait rafraîchissante, vous apportera des fibres et de la vitamine C. Le chou rouge contient également du lycopène, un antioxydant anti-inflammatoire qui vous aidera à vous remettre de l'accouchement.

Temps de préparation : **10 minutes**
Pour **4 personnes**, en accompagnement

Riche en : **fibres** et **vitamine C**

- *2 pommes croquantes évidées et coupées en petits morceaux*
- *2 cuillères à soupe de jus de citron*
- *1/2 chou rouge finement émincé*
- *3 clémentines ou satsumas épluchées, en quartiers coupés en deux*
- *1 cuillère à soupe de persil fais haché*
- *2 cuillères à soupe de raisins de Smyrne*

■ Arroser les morceaux de pommes de jus de citron pour éviter qu'ils ne noircissent. Dans un saladier, mélanger le chou, les pommes et les clémentines ou satsumas.
■ Saupoudrer de persil haché et de raisins de Smyrne et bien mélanger le tout. Mettre au frais ou servir aussitôt.

Salade de chou à l'orientale

Faites le plein de vitamine C avec cette salade exotique. Contenant un minimum de matières grasses, vous l'emporterez facilement au travail. Pour lui donner une touche joliment colorée, utilisez des poivrons de différentes couleurs.

Temps de préparation : **10 à 15 minutes** (V)
Pour **4 personnes**

Riche en : **fibres** et **vitamine C**

- *1/2 chou blanc finement émincé*
- *1/4 d'ananas coupé en dés*
- *100 g de germes de soja rincés*
- *1/2 poivron jaune finement émincé*
- *1 boîte de 220 g (140 g égouttés) de châtaignes d'eau émincées*
- *Le jus d'1/2 citron*
- *1 cuillère à café de miel*
- *1 cuillère à soupe de sauce de soja à teneur réduite en sel*

■ Dans un grand saladier, mélanger le chou, l'ananas, les germes de soja, le poivron et les châtaignes d'eau.
■ Pour préparer la sauce, battre dans un bol le jus de citron, le miel et la sauce de soja. Verser sur la salade au moment de servir.

Salade verte tiède

Rapide à préparer, cette délicieuse salade tiède vous réchauffera grâce à sa petite note pimentée. Idéale avec les viandes et les poissons grillés, vous pouvez aussi la servir en entrée. La laitue, la ciboule et les haricots verts contiennent de grandes quantités de vitamine C et de folates.

Temps de préparation : **5 minutes** (V)
Temps de cuisson : **5 minutes**
Pour **2 personnes**, en accompagnement

Riche en : **fibres, folates** et **vitamine C**

- *1 cuillère à dessert d'huile de colza*
- *80 g de haricots verts coupés en morceaux de 2 cm*
- *1 petit piment vert épépiné et finement haché*
- *4 tiges de ciboule émincées en rondelles de 1 cm*
- *4 à 6 grandes feuilles de romaine*
- *Sel et poivre noir à volonté*

■ Dans un wok ou une grande poêle, faire revenir pendant 1 à 2 minutes, à feu vif, les haricots verts, le piment et la ciboule, en remuant souvent.
■ Ajouter les feuilles de salade et les laisser fondre, sans cesser de remuer. Assaisonner et servir immédiatement.

Salade de pois gourmands et de haricots au pesto

Cette salade développe toutes ses saveurs à température ambiante. Servez-la aussitôt prête. Les pois gourmands vous apportent de la vitamine C et en mangeant leurs cosses tendres, vous absorberez d'autres phytonutriments essentiels, ainsi que des fibres.

Temps de préparation : **10 minutes** (V)
Temps de cuisson : **45 minutes**
Pour **4 personnes**

Riche en : **calcium, fibres, folates, protéines, vitamines B** et **C** et **zinc**

- *150 g de pois gourmands*
- *1 cuillère à soupe de pesto*
- *10 tomates séchées à l'huile égouttées et coupées en petits morceaux*
- *250 g de haricots en grains variés en conserve, égouttés et rincés*
- *Poivre noir à volonté*

■ Porter à ébullition une grande casserole d'eau et faire cuire les pois gourmands, à l'eau ou à la vapeur, pendant 1 à 2 minutes. Les retirer et les plonger immédiatement dans un récipient d'eau glacée, puis égoutter.
■ Mélanger le pesto, les tomates coupées et les haricots, ajouter les pois gourmands et poivrer. Servir avec une salade de pommes de terre nouvelles et de betterave (voir page 123).

Salade verte tiède

Recettes

Duo de poire rouge et de poire verte aux noix

Choisissez de préférence une poire rouge (de type William's rouge ou Forelles) pour compléter l'harmonie de couleurs de cette délicieuse salade. À défaut, une variété verte bien parfumée (comme la Conférence, par exemple) conviendra parfaitement. Le mélange du jus de pomme et du thym donne à la sauce un petit goût délicieux.

Temps de préparation : **5 minutes**
Pour **2 personnes**, en entrée

Riche en : **vitamines C et E**

- *50 ml de jus de pomme*
- *2 cuillères à soupe d'huile d'olive*
- *1 cuillère à soupe de vinaigre de cidre*
- *1/2 cuillère à soupe de feuilles de thym frais*
- *De la mâche, pour décorer*
- *1 poire rouge bien mûre et émincée*
- *1 avocat bien mûr et émincé*
- *50 g de noix grossièrement hachées*
- *Poivre noir à volonté*

■ Préparez la sauce dans un bol, en battant énergiquement le jus de pomme, l'huile d'olive, le vinaigre de cidre et le thym, pour obtenir une émulsion. Assaisonnez à votre convenance.
■ Disposez sur un plat un lit de mâche, puis les tranches de poire et d'avocat et saupoudrez de noix.
■ Nappez de sauce et poivrez généreusement avant de servir.

Salade de pois gourmands et d'avocat à la sauce au basilic

Préparée en un clin d'œil, cette salade pleine de fraîcheur allie le fondant de l'avocat et le croquant des pois gourmands, très riches en vitamine C et en fibres, mais aussi en phytonutriments contenus dans la cosse.

Temps de préparation : **5 minutes**
Temps de cuisson : **2 minutes**
Pour **2 personnes**

Riche en : **fibres** et **vitamines A, B$_6$, C et E**

- *100 g de pois gourmands équeutés*
- *1 cuillère à soupe d'huile d'olive*
- *1 cuillère à soupe de jus de citron*
- *1 cuillère à soupe de feuilles de basilic hachées*
- *1/2 cuillère à café de miel liquide*
- *1 avocat*
- *Quelques feuilles de roquette ou de mâche, pour décorer*
- *Poivre noir à volonté*

■ Porter à ébullition une casserole remplie d'eau et faire cuire les pois gourmands 1 à 2 minutes, à l'eau ou à la vapeur (dans un panier), avant de les plonger dans un récipient d'eau glacée. Les égoutter.
■ Préparer la sauce dans un bol, en battant vigoureusement l'huile d'olive, le jus de citron, le basilic haché et le miel. Saler et poivrer à volonté.
■ Couper l'avocat en dés et le mélanger délicatement à la sauce.
■ Disposer les feuilles de salade sur un plat, les pois gourmands par-dessus et napper le tout de sauce à l'avocat. Rectifier l'assaisonnement et servir aussitôt.

Salade de boulgour aux graines de citrouille

L'estragon donne une saveur discrètement anisée à cette salade toute simple. Elle accompagnera délicieusement les viandes au barbecue ou les légumes grillés et se conservera un jour ou deux au réfrigérateur. Vous trouverez sans difficulté du boulgour, blé dur concassé, parfois appelé pourgouri.

Temps de préparation : **5 minutes**
Temps de cuisson : **10 à 15 minutes**
Pour **2 à 3 personnes**

Riche en : **fibres, fer, magnésium, sélénium et zinc**

- *50 g de graines de citrouille*
- *150 g de boulgour*
- *2 cuillères à soupe d'estragon frais haché*
- *Sel et poivre noir à volonté*

■ Préchauffer le four à 200°C.
■ Étaler les graines de citrouille sur la lèchefrite et les enfourner pour 8 à 10 minutes, jusqu'à ce qu'elles soient croustillantes. Sortir du four et laisser refroidir.
■ Mettre le boulgour dans une casserole, couvrir de 500 ml d'eau froide additionnée d'une pincée de sel et porter doucement à ébullition. Couvrir et laisser cuire 10 à 15 minutes à petit bouillon, jusqu'à ce que le blé soit bien tendre. Selon le cas, ajouter un peu d'eau en cours de cuisson ou égoutter le boulgour en fin de cuisson.
■ Laisser refroidir le boulgour en détachant les grains à l'aide d'une fourchette.
■ Mélanger au boulgour l'estragon et les graines de citrouille, saler, poivrer et servir.

Salades et légumes

Quelques bonnes idées pour agrémenter vos salades

Pour remplacer les vinaigrettes et mayonnaises traditionnelles, très riches en huile, inventez vos propres sauces et variez les saveurs en utilisant aromates et jus. N'oubliez pas que vous devez éviter la mayonnaise maison qui contient des œufs crus, mais que vous pouvez manger de la mayonnaise toute prête, en prenant soin toutefois de lire attentivement l'étiquette. Oubliez également les sauces contenant du fromage de type bleu. Pour vous aider, voici quelques suggestions, sans risque pour les femmes enceintes.

Sauce aux agrumes et au gingembre
Faites le plein de vitamine C en mélangeant énergiquement le jus d'un demi-citron et d'une orange, 4 cuillères à soupe d'huile d'olive et 1 cuillère à café de miel liquide. Ajoutez un peu de gingembre râpé et servez sur un émincé de poivrons rouge et jaune ou une salade verte.

Sauce au yaourt
Le yaourt constitue une excellente base d'assaisonnement, à faible teneur en matière grasse. Agrémentez un yaourt nature d'un hachis de ciboulette, de persil ou d'autres aromates, salez, poivrez et ajoutez une pincée de sucre et un zeste de citron pour relever le tout.

Sauce aux noix
Mélangez 4 cuillères à soupe d'huile d'olive, 2 cuillères à soupe de vinaigre de Xérès, une demi-cuillère à café de sucre et 50 g de noix concassées. Salez et poivrez à votre convenance.

Graines croustillantes
Saupoudrez vos salades de noix, noisettes et autres graines riches en huiles et minéraux essentiels. Si vous les faites griller, surveillez-les attentivement, car elles brûlent très vite en raison de leur teneur en matière grasse.

Olives noires
Ajoutez quelques olives noires à vos salades pour varier les couleurs et les saveurs, mais n'en abusez pas car elles contiennent beaucoup de sel. Préparez une salade grecque avec des olives noires dénoyautées, du boulgour et des tomates coupées en petits morceaux. Ajoutez un peu de ciboulette et de menthe, un filet d'huile d'olive, arrosez de jus de citron et mélangez bien avant de servir.

Menthe fraîche
Pour assaisonner différemment vos salades de pommes de terre, par exemple, agrémentez votre vinaigrette préférée de quelques feuilles de menthe fraîche ciselées et versez sur les pommes de terre bien chaudes. Laisser refroidir les pommes de terre dans la sauce avant de servir.

Petits conseils utiles

Dans la mesure du possible, préparez vos salades au dernier moment afin qu'elles perdent le moins de vitamine C possible. Utilisez toutes sortes de fruits et de légumes pour varier les couleurs et les saveurs. Lavez-les soigneusement afin d'enlever toute trace de terre mais laissez-leur la peau pour profiter au maximum de tous leurs nutriments.

Légumes chauds

Gratin crémeux aux deux pommes

Ce plat d'accompagnement marie agréablement la saveur des pommes, des pommes de terre et des baies de genièvre. Peu relevé, il est tout indiqué si vous souffrez de brûlures d'estomac. Un gratin à la fois consistant et bon pour la santé.

Temps de préparation : **10 minutes** ⓥ
Temps de cuisson : **1 heure 30**
Pour **4 à 6 personnes**

Riche en : **calcium** et **vitamine C**

- *4 à 6 pommes de terre moyennes épluchées et coupées en fines lamelles*
- *2 pommes croquantes (de type Braeburn, par exemple) évidées et émincées*
- *125 ml de crème fraîche épaisse*
- *275 ml de lait demi-écrémé*
- *6 baies de genièvre écrasées (facultatif)*
- *1 cuillère à café de noix muscade en poudre*
- *Sel et poivre noir à volonté*
- *Huile ou beurre, pour le plat*

■ Préchauffer le four à 180°C. Huiler un grand plat à gratin.

■ Recouvrir le fond du plat d'une couche de pomme de terre, puis d'une couche de pomme et ainsi de suite. Battre la crème, le lait, les baies de genièvre et la moitié de la noix muscade, saler, poivrer et napper le gratin de cette préparation.

■ Saupoudrer le tout du reste de noix muscade. Couvrir de papier aluminium et enfourner le plat, sur la lèchefrite, à mi-hauteur. Laisser cuire 1 heure.

■ Sortir du four, arroser d'un peu de jus de cuisson et remettre au four, sans couvrir, 30 minutes, jusqu'à ce que pommes de terre et pommes soient fondantes et le gratin joliment doré.

Röstis à la sauce de citron vert

Temps de préparation : **10 minutes** (V)
Temps de cuisson : **10 minutes**
pour **4 personnes**

Riche en : **bêta-carotène** et **vitamine C**

Pour la sauce :
- *4 cuillères à soupe de crème fraîche*
- *Le jus et le zeste d'un beau citron vert*

Pour les röstis :
- *200 g de rutabagas épluchés et grossièrement râpés*
- *1 grosse pomme de terre épluchée et grossièrement râpée*
- *1 belle pomme (de type Cox's Orange Pippin) épluchée et grossièrement râpée*
- *Le jus d'un citron vert*
- *1 cuillère à café d'estragon frais haché*
- *2 cuillères à soupe de farine*
- *Sel et poivre noir*
- *Huile de colza ou huile d'olive, pour la friture*

■ Préchauffer le four à 140°C.
■ Préparer la sauce en mélangeant la crème fraîche, une partie du jus du citron vert et le zeste. Saler, poivrer et mettre au réfrigérateur.
■ Pour les röstis, mettre les rutabagas, la pomme de terre et la pomme dans un saladier, arroser de jus de citron vert et ajouter l'estragon. Incorporer la farine, saler, poivrer et bien mélanger.
■ Faire chauffer un peu d'huile dans une poêle anti-adhésive. Déposer une cuillère à soupe de pâte dans la poêle, en l'aplatissant pour former une petite galette. Répéter l'opération jusqu'à épuisement de la préparation (vous devrez sans doute faire plusieurs fournées et garder les röstis au chaud dans le four). Faire frire les röstis à feu doux, pendant 5 minutes environ, puis les retourner délicatement, à l'aide d'une spatule, pour faire dorer l'autre côté.
■ Servir accompagné de sauce au citron vert.

Ratatouille

Quoi de plus simple à préparer qu'une délicieuse ratatouille de légumes méditerranéens ? Excellente pour ses apports nutritionnels variés, elle se conservera un jour ou deux au réfrigérateur ou quelques mois au congélateur. Servez-la en accompagnement, comme plat principal avec du riz, ou bien encore saupoudrée de fromage, avec des tranches de pain croustillant.

Temps de préparation : **15 minutes** (V)
Temps de cuisson : **1 heure**
Pour **4 personnes**

Riche en : **bêta-carotène**, **fibres** et **vitamine C**

- *2 cuillères à soupe d'huile d'olive*
- *1 oignon épluché et émincé dans le sens de la longueur*
- *2 gousses d'ail épluchées et hachées*
- *1 aubergine moyenne coupée en dés*
- *2 courgettes moyennes coupées en rondelles épaisses*
- *250 g de poivrons variés coupés en petits morceaux*
- *1 pot de 680 g de coulis de tomate*
- *6 tomates fraîches pelées et coupées en petits morceaux*
- *Sel et poivre noir à volonté*
- *4 branches d'origan et quelques feuilles, pour décorer*
- *Quelques copeaux de parmesan, pour décorer*

■ Dans un faitout, faire chauffer l'huile et laisser revenir l'oignon et l'ail à petit feu pendant 5 minutes. Ajouter l'aubergine et laisser cuire encore 5 minutes, en remuant régulièrement.
■ Ajouter les courgettes, baisser le feu et laisser mijoter doucement, pendant 10 minutes environ, en remuant de temps en temps.
■ Ajouter les poivrons, le coulis et les tomates fraîches. Saler, poivrer et saupoudrer d'origan. Couvrir et laisser mijoter à petit feu pendant 30 à 40 minutes, jusqu'à ce que les légumes soient fondants. Décorer de quelques feuilles d'origan et de copeaux de parmesan au moment de servir.

Asperges

Brocolis

Carottes

Poivrons

Épinards

Tomates

Aliments vedettes

les légumes

Pauvres en matière grasse, riches en fibres, gorgés de vitamines, de minéraux et de phytonutriments, les légumes sont au cœur d'une alimentation saine. Mangez-en de toutes sortes, qu'ils soient verts à feuilles ou bien encore rouges ou jaunes.

Asperges Ce légume quelque peu coûteux est riche en folates. Il est recommandé au début de la grossesse. Essayez donc la pizza aux champignons, aux asperges et à la roquette (voir page 67).

Brocolis L'un des meilleurs légumes sur le plan nutritif. Il est riche en vitamine C, en folates, en bêta-carotène et en fibres et vous apporte également du fer et du calcium. Afin de préserver leurs nutriments, faites cuire les brocolis à la vapeur ou au four micro-ondes. Ils font aussi d'excellents potages, comme la soupe de brocolis à la menthe (voir page 61). Il semble que certains bébés nourris au sein aient du mal à supporter les brocolis, tout comme leurs cousins de la famille des choux. Si vous allaitez et que vous observez une gêne lorsque votre bébé tète après que vous avez mangé des brocolis, remplacez-les par un autre légume riche en vitamine C.

Carottes Ce légume sans prétention est l'un des plus riches en bêta-carotène, un anti-oxydant important à plus d'un titre pour le bon développement de votre bébé et essentiel à la bonne santé de votre système immunitaire. Mangez-les coupées en bâtonnets et trempées dans une sauce ou râpées, en salade, avec des raisins secs, de la betterave ou des pousses de soja. Naturellement sucrées, elles font de savoureux gratins et de délicieux potages. Goûtez par exemple la soupe de courge butternut aux carottes (voir page 61).

Poivrons Les poivrons contiennent de grandes quantités de vitamine C et les variétés rouge et jaune sont particulièrement riches en bêta-carotène. Un demi-poivron rouge cru vous apportera quelque 110 mg de vitamine C, soit le double de vos besoins journaliers. Émincez-les dans vos salades, grignotez-les trempés dans des sauces ou préparez-les sautés. En entrée, régalez-vous d'une jalousie de poivron rouge et de tomates (voir page 70) ou d'une crème de poivrons rouges grillés (voir page 65).

Épinards Encensés pour leur teneur en fer, les épinards contiennent en réalité des substances chimiques appelées phytates qui limitent la quantité de fer absorbée. Ils sont riches en calcium et en bêta-carotène et assurent un apport non négligeable en folates. Mangez des pousses d'épinards en salade, servez-les avec de la viande, comme dans le gratin de bœuf aux épinards (voir page 110) ou bien savourez une soupe d'épinards au cumin (voir page 58).

Tomates Riches en vitamine C, en bêta-carotène et en lycopène, un anti-oxydant, les tomates sont à consommer régulièrement. Laissez-les mûrir un jour ou deux sur le rebord de la fenêtre pour augmenter leur teneur en sucre et en nutriments et mangez-les à température ambiante afin d'en apprécier pleinement la saveur. Crues ou cuites, elles se préparent de mille et une façons et sont excellentes pour votre santé et celle de votre bébé.

Salade de pommes de terre nouvelles et de betteraves

Les betteraves sont étonnamment riches en folates, puisqu'une grosse betterave en contient environ 190 µg. Cette salade tiède se suffit à elle-même, mais elle peut aussi accompagner un plat.

Temps de préparation : **10 minutes**
Temps de cuisson : **15 minutes**
Pour **2 à 4 personnes**

Riche en : **bêta-carotène**, **fibres**, **folates**, **potassium** et **vitamine C**

Pour la salade :
- *8 petites pommes de terre nouvelles*
- *2 carottes moyennes épluchées*
- *2 grosses betteraves cuites*
- *25 g de feuilles de roquette lavées*
- *Quelques feuilles de laitue lavées et coupées en fines lanières*

Pour la sauce :
- *Le jus et le zeste d'une orange*
- *1 cuillère à soupe d'huile d'olive*
- *1 cuillère à dessert de vinaigre de vin rouge*
- *1 cuillère à café de sauce de soja*
- *110 g de châtaignes d'eau rincées et égouttées*

■ Faire cuire les pommes de terre nouvelles à l'eau bouillante pendant 15 minutes environ. Égoutter et laisser légèrement refroidir.
■ Préparer la sauce en battant énergiquement dans un saladier le zeste d'orange, l'huile, le vinaigre, le jus d'orange et la sauce de soja. Émincer finement les châtaignes d'eau dans la sauce, mélanger et mettre au frais.
■ Pendant ce temps, râper les carottes et les betteraves et mélanger le tout.
■ Disposer sur un plat un lit de roquette et une chiffonnade de laitue, puis recouvrir de carottes et de betteraves râpées.
■ Éplucher les pommes de terre nouvelles encore tièdes et les couper en grosses rondelles, disposées sur le dessus du plat.
■ Napper de sauce et servir aussitôt.

Brocolis, chou-fleur et céleri nappés de sauce au citron

Essayez cet accompagnement riche en vitamine C, rehaussé d'une pointe acidulée de citron et d'un peu de coriandre.

Temps de préparation : **8 minutes**
Temps de cuisson : **7 à 8 minutes**
Pour **2 personnes**

Riche en : **bêta-carotène**, **fibres** et **vitamine C**

Pour la salade :
- *4 petits bouquets de brocolis*
- *4 petits bouquets de chou-fleur*
- *2 belles branches de céleri détaillées en biais en tronçons de 3 cm*

Pour la sauce :
- *Le jus d'1/2 citron*
- *1 cuillère à café de graines de coriandre concassées*
- *1 cuillère à café de miel liquide*
- *2 cuillères à soupe d'huile de colza*
- *Sel et poivre noir à volonté*

■ Faire cuire les légumes dans un panier, à la vapeur, pendant 7 à 8 minutes. Ils doivent rester légèrement croquants.
■ Pendant ce temps, verser dans une bouteille les ingrédients pour l'assaisonnement, fermer et secouer énergiquement la bouteille pour obtenir une sauce homogène.
■ Servir les légumes aussitôt cuits, arrosés de sauce.

Choux de Bruxelles à la pancetta

Exceptionnellement riches en folates, les choux de Bruxelles sont particulièrement recommandés avant et pendant la grossesse.

Temps de préparation : **10 minutes**
Temps de cuisson : **10 minutes**
Pour **4 personnes**

Riche en : **fibres**, **folates** et **vitamines B$_1$ et C**

- *70 g de pancetta coupée en petits lardons*
- *20 choux de Bruxelles nettoyés*
- *100 ml de bouillon de légumes*

■ Dans une poêle bien chaude, faire revenir la pancetta à petit feu, sans huile, pendant 5 minutes environ, jusqu'à ce qu'elle soit légèrement dorée.
■ Ajouter les choux de Bruxelles et le bouillon de légumes, couvrir et laisser mijoter 7 à 8 minutes, jusqu'à ce que les choux soient cuits.
■ Égoutter et servir agrémenté des petits lardons de pancetta.

PETITS EXTRAS

Desserts aux fruits, tartes et puddings • Gâteaux, biscuits et pain

Desserts aux fruits, tartes et puddings

Salade de fruits d'hiver

Dans cette recette, les fruits séchés absorbent toutes les saveurs de l'orange et du gingembre. Le vin de gingembre contient de l'alcool, mais rassurez-vous : porté à ébullition, celui-ci s'évapore. Vous pouvez donc l'utiliser sans crainte.

Temps de préparation : **10 minutes** (V)
Temps de macération : **1 nuit**
Pour **4 à 6 personnes**

Riche en : **bêta-carotène, calcium, fibres, fer** et **vitamine C**

- *200 ml de vin de gingembre*
- *500 g de mélange maison de fruits séchés (abricots, poires, pêches, figues, pommes, etc.)*
- *400 ml de jus d'orange fraîchement pressé*

■ Verser le vin de gingembre dans une casserole et porter à ébullition. Retirer du feu.
■ Mélanger les fruits dans un récipient en plastique muni d'un couvercle. Arroser de vin de gingembre et de jus d'orange.
■ Fermer et laisser reposer une nuit au réfrigérateur afin que les fruits se gorgent de jus et s'imprègnent des différentes saveurs.

Quelques bonnes idées pour agrémenter vos desserts

Les desserts, notamment aux fruits, vous apportent de l'énergie et des vitamines et permettent de rompre la monotonie. Attention toutefois à ne pas abuser de la crème ou des glaces, riches en calories et en matière grasse. Voici quelques idées pour agrémenter vos desserts avec originalité, tout en profitant d'un apport supplémentaire en nutriments.

Coulis de myrtilles au citron vert
Pour préparer ce coulis, mettez 250 g de myrtilles dans une casserole, ajoutez 1 cuillère à soupe de sucre et le jus d'1/2 citron vert et laissez réduire en compote, puis passez au mixer. Délicieux sur les entremets, les sorbets, les fruits pochés ou les yaourts.

Yaourt au sirop d'érable
Mélangez 200 ml de yaourt à boire nature, au lait entier, 1 cuillère à soupe de sirop d'érable et 1/4 de cuillère à café d'extrait de vanille. Succulent sur une salade de fruits ou un gâteau.

Crème anglaise
Mélangez 2 jaunes d'œufs et 2 cuillères à café de maïzena, ajoutez 1/2 cuillère à café d'extrait de vanille, 1 cuillère à soupe de sucre et 150 ml de crème liquide. Faites chauffer 300 ml de lait et lorsqu'il est bien chaud, ajoutez-le petit à petit à la crème. Versez le tout dans la casserole et faites chauffer à feu doux jusqu'à ce que la préparation épaississe. Servir avec du pudding aux dattes et au chocolat (voir page 132) ou des fruits pochés.

Amandes effilées
Saupoudrez vos desserts de quelques amandes effilées, riches en calcium, qui croqueront agréablement sous la dent.

Salade de fraises, de poires et de fruits de la passion

Choisissez des poires sucrées et juteuses à souhait pour ce dessert léger et rafraîchissant.

Temps de préparation : **15 minutes** (V)
Temps de macération : **30 minutes**
Pour **4 personnes**

Riche en : **fibres** et **vitamine C**

- *3 belles poires (de type Conférence)*
- *Le jus d'1/2 citron*
- *250 g de fraises*
- *4 fruits de la passion*

■ Peler les poires au-dessus d'un grand plat afin d'en récupérer le jus. Les évider et les couper en dés. Arroser de jus de citron.
■ Essuyer et équeuter les fraises. Couper les plus petites en deux et les plus grosses en quatre.
■ Ajouter les fraises aux morceaux de poire puis, à l'aide d'une cuillère, retirer la chair des fruits de la passion pour la mélanger aux autres fruits. Laisser reposer au frais pendant 30 minutes avant de servir.

Brochettes d'ananas et de papaye grillées

Ce dessert qui fleure bon les Caraïbes est délicieux cru ou cuit. Vous pouvez faire griller les brochettes au grill ou au barbecue.

Temps de préparation : **5 minutes** (V)
Temps de cuisson : **10 minutes**
Pour **2 personnes**

Riche en : **bêta-carotène** et **vitamine C**

- *1 cuillère à café de miel liquide*
- *2 cuillères à soupe de jus de citron vert*
- *1/2 cuillère à café de gingembre frais râpé*
- *1 cuillère à dessert de cassonade*
- *1/2 papaye de taille moyenne, épluchée et coupée en gros dés*
- *2 tranches d'ananas frais coupées en dés*

■ Préchauffer le grill. Dans un saladier, mélanger le miel, le jus de citron vert, le gingembre et la cassonade, puis ajouter les fruits en mélangeant délicatement. Lorsque les fruits sont bien enrobés, les enfiler sur deux longues brochettes métalliques et les badigeonner du reste de sirop.
■ Faire griller les brochettes pendant 10 minutes environ, en les retournant une ou deux fois. Les fruits doivent dorer légèrement et être bien chauds à l'intérieur. Servir aussitôt.

Crème glacée à la mangue et aux fruits de la passion

Les mangues sont très riches en bêta-carotène : une excellente excuse pour préparer cette savoureuse crème glacée.

Temps de préparation : **15 minutes** (V)
Pour **4 personnes**

Riche en : **bêta-carotène**, **fibres** et **vitamine C**

- *2 mangues bien mûres, épluchées et coupées en dés*
- *Le zeste d'un citron vert*
- *Le jus d'1/2 citron vert*
- *3 fruits de la passion*
- *150 ml de crème fraîche épaisse*
- *Quelques biscuits pour la présentation*

■ Déposer la chair des mangues dans le récipient du robot et mixer pour obtenir une purée. Ajouter le jus et le zeste de citron vert.
■ Poser une passoire au-dessus d'un bol et y déposer, à l'aide d'une cuillère, la chair des fruits de la passion. Presser pour bien extraire tout le jus en veillant à ce que les graines restent dans la passoire, puis ajouter ce jus à la purée de mangue.
■ Dans un autre bol, battre légèrement la crème afin de l'aérer, puis la mélanger délicatement aux fruits. Remplir des coupes de cette préparation et servir bien frais, accompagné d'un petit biscuit.

Entremets meringué à l'abricot

Cet entremets, on ne peut plus facile à préparer, se congèle très bien. Vous pouvez supprimer les meringues ou les remplacer par de petits macarons au délicieux goût d'amande.

Temps de préparation : **10 minutes** (V)
Temps de macération : **1 nuit**
Pour **4 personnes**

Riche en : **bêta-carotène** et **calcium**

- *250 g d'abricots secs*
- *150 ml d'eau bouillante*
- *150 ml de jus d'orange*
- *125 g de mascarpone*
- *75 g de yaourt nature*
- *50 g de meringues légèrement écrasées*

■ Mettre les abricots dans un bol, puis les arroser d'eau bouillante. Couvrir et laisser tremper une nuit.
■ Le lendemain, verser les abricots et leur jus dans le récipient du robot, ajouter le jus d'orange et mixer pour obtenir une préparation homogène. Ajouter le mascarpone et le yaourt et mixer pour bien mélanger le tout.
■ Incorporer les meringues écrasées et remplir 4 coupes.
■ Servir très frais.

Brochettes d'ananas et de papaye grillées

Tarte aux abricots et aux amandes

Voici une recette facile à réaliser, pour un dîner entre amis. Vous gagnerez du temps en utilisant une pâte sablée toute prête.

Temps de préparation : **20 minutes**   Ⓥ
Temps de repos : **25 minutes**
Temps de cuisson : **35 à 40 minutes**
Pour **4 à 6 personnes**

Riche en : **bêta-carotène, calcium** et **protéines**

Pour la pâte :
- *150 g de farine tamisée*
- *75 de beurre doux coupé en petits morceaux, à température ambiante*
- *25 g de sucre en poudre*
- *2 jaunes d'œufs*

Pour la garniture :
- *25 g de beurre*
- *25 g de sucre en poudre*
- *1 œuf moyen*
- *175 g de mascarpone*
- *1 cuillère à café d'extrait d'amandes amères*
- *1 boîte de 415 g d'abricots au sirop, égouttés*
- *1 cuillère à soupe d'amandes effilées*
- *Sucre glace, pour le glaçage (facultatif)*
- *Groseilles, pour décorer (facultatif)*

■ Préchauffer le four à 180°C.
■ Pour préparer la pâte, mélanger dans un saladier la farine et le beurre.
■ Ajouter le sucre, les jaunes d'œufs et amalgamer à l'aide d'une spatule. Pétrir ainsi la pâte 1 à 2 minutes, jusqu'à ce qu'elle soit bien lisse, puis la rouler en boule et la glisser dans un sac plastique. Laisser reposer 25 minutes au réfrigérateur.
■ Pendant ce temps, préparer la garniture. Travailler le beurre et le sucre en poudre en pommade, puis ajouter l'œuf tout en continuant à battre la préparation. Incorporer le mascarpone et ajouter l'extrait d'amandes amères.

■ Abaisser la pâte et garnir un moule rectangulaire de 30 x 12 cm.
■ Verser la préparation sur le fond de pâte, disposer les abricots sur le dessus et saupoudrer d'amandes effilées. Faire cuire au four 35 à 40 minutes, jusqu'à ce que la préparation soit cuite. Si la garniture dore trop vite, couvrir le moule d'une feuille de papier aluminium.
■ Laisser refroidir la tarte avant de la servir, saupoudrée de sucre glace et accompagnée de groseilles, selon la saison.

Et pourquoi pas...?
Pour une tarte ronde, utilisez un moule de 23 cm de diamètre. Si vous souhaitez une consistance moins crémeuse, ajoutez à votre préparation 50 g de farine contenant de la poudre levante et faites cuire dans un moule de 25 cm de diamètre.

Gratin de fruits au mascarpone

Un dessert qui sort de l'ordinaire, avec son lit acidulé de groseilles et de cassis, surmonté de petits scones moelleux et de crème de mascarpone parfumée au citron vert. Divisez les proportions par deux pour un dîner en tête-à-tête.

Temps de préparation : **20 minutes**
Temps de cuisson : **30 à 40 minutes**
Pour **4 personnes**

(V)

Riche en : **fibres** et **vitamine C**

- *Huile de tournesol, pour le plat*
- *300 g de cassis rincé et équeuté*
- *200 g de groseilles rincées et équeutées*
- *115 g de sucre en poudre*
- *125 g de mascarpone*
- *Le zeste d'un citron vert*
- *250 g de farine avec poudre levante, tamisée*
- *1 cuillère à café de levure chimique*
- *50 g de margarine de tournesol*
- *Le zeste et le jus d'un citron*
- *100 ml de lait demi-écrémé*
- *15 g de cassonade*
- *Crème fraîche allégée ou yaourt à la grecque, pour servir*

■ Préchauffer le four à 180°C. Huiler légèrement un plat à gratin.

■ Dans une casserole moyenne, mélanger le cassis et les groseilles, ajouter 50 g de sucre en poudre et laisser fondre les fruits environ 10 minutes. Verser cette préparation dans le plat.

■ Dans un saladier, préparer la crème en mélangeant le mascarpone, le zeste de citron vert et 25 g de sucre en poudre.

■ Dans un second saladier, préparer la pâte pour les scones. Mélanger la farine et la levure chimique, puis incorporer la margarine et travailler la pâte du bout des doigts. Ajouter le reste de sucre en poudre, puis le zeste et le jus de citron, avant de verser petit à petit le lait. La préparation doit rester collante.

■ À l'aide de 2 cuillères à café, déposer des petites cuillerées de crème au mascarpone sur les fruits. À l'aide de 2 cuillères à soupe, déposer par-dessus des petits tas de pâte à scones.

■ Saupoudrer les scones de cassonade et mettre au four pendant 30 à 40 minutes, jusqu'à ce que la pâte des scones soit bien cuite. Laisser refroidir légèrement avant de servir avec de la crème fraîche allégée ou du yaourt à la grecque.

Croustades de poire au gingembre

Ces croustades sont délicieuses, en dessert ou pour un petit goûter. Les proportions sont ici données pour 1 croustade. Il vous suffit de les adapter en conséquence.

Temps de préparation : 15 minutes (V)
Temps de cuisson : 20 minutes
Pour 1 croustade

Riche en : **fibres** et **vitamine E**

- *2 feuilles de brick*
- *Huile de colza ou de tournesol, pour badigeonner*
- *1/2 poire bien mûre, émincée transversalement*
- *1 cuillère à café de pignons*
- *1 pincée de cannelle*
- *1/2 cuillère à café de sucre roux*
- *1/2 cuillère à café de sirop d'érable*
- *Un peu de gingembre haché*
- *Sucre glace, pour décorer*

■ Préchauffer le four à 200°C.
■ Superposer les 2 feuilles de brick préalablement recoupées en triangle et badigeonner d'un peu d'huile celle du dessus.
■ Poser la 1/2 poire à 3 cm du bord environ, vers la pointe de la pâte, puis la saupoudrer des différents ingrédients.
■ Replier la pointe de la pâte sur la poire et la garniture, puis la base du triangle de pâte et enrouler le tout autour de la poire, de façon à fermer la croustade.
■ Poser la croustade sur la lèchefrite et la badigeonner légèrement d'huile. Faire cuire 20 minutes, jusqu'à ce que la pâte soit joliment dorée.
■ Servir la croustade encore tiède, saupoudrée d'un peu de sucre glace.

Et pourquoi pas...?

Autre variante tout aussi délicieuse : garnir la croustade d'une cuillère à soupe de ricotta et saupoudrer d'une demi-cuillère à café de cassonade blonde. Ajouter les graines et le jus d'un fruit de la passion. Fermer le feuilleté et faire cuire comme précédemment. Cette préparation est riche en bêta-carotène, en calcium, en potassium et en vitamine A.

Poires pochées à la cardamome sur fond de sauce au chocolat

Les poires comptent parmi les fruits les plus digestes, elles sont donc tout indiquées si vous avez du mal à garder les aliments que vous mangez. Les fruits et la sauce se conserveront un jour ou deux au réfrigérateur. Vous pouvez donc les préparer d'avance, si vous attendez des invités.

Temps de préparation : 10 minutes (V)
Temps de cuisson : 1 heure
Pour 6 personnes

Riche en : **fibres**

- *6 belles poires fermes mais bien mûres, épluchées*
- *Le zeste d'un citron*
- *8 graines de cardamome légèrement écrasées mais entières*
- *500 ml de jus de raisin blanc*
- *100 g de chocolat au lait coupé en morceaux*
- *25 g de beurre*
- *25 g de cassonade*
- *100 g de crème liquide allégée*

■ Mettre les poires dans une grande casserole, avec le zeste de citron, la cardamome et le jus de raisin. Porter à ébullition en arrosant régulièrement les poires de jus. Couvrir et laisser cuire environ 1 heure, à petit feu, jusqu'à ce que les fruits soient fondants, en les retournant de temps en temps.
■ Disposer les poires sur un plat de service et passer le jus. Retirer le zeste, les graines de cardamome et verser le liquide sur les poires. Mettre au réfrigérateur pendant au moins 1 heure.
■ Pour préparer la sauce, faire fondre le chocolat, le beurre, le sucre et la crème dans une petite casserole, à feu très doux, sans cesser de remuer.
■ Lorsque la sauce est prête, la verser autour des poires et servir aussitôt.

Poires pochées à la cardamome sur fond de sauce au chocolat

Crème brûlée à la framboise et au yaourt

Pudding aux dattes et au chocolat

Si vous avez une envie irrésistible de chocolat, vous apprécierez sans nul doute ce délicieux pudding tout chaud. Il contient aussi des dattes, riches en fibres. Préparé dans un robot et cuit au four micro-ondes, il est on ne peut plus simple à réaliser.

Temps de préparation : **5 minutes**
Temps de cuisson : **6** à **7 minutes**
Pour **6 personnes**

Riche en : **fibres, fer** et **protéines**

- *75 g de dattes dénoyautées et grossièrement hachées*
- *150 ml d'eau bouillante*
- *50 g de sucre roux*
- *2 œufs moyens*
- *50 g de margarine de tournesol*
- *100 g de farine avec poudre levante*
- *1 cuillère à café de levure chimique*
- *1/2 cuillère à café de cannelle en poudre*
- *25 g de poudre de cacao*
- *Beurre, pour le plat*
- *Glace à la vanille, pour servir*

■ Mettre les dattes dans le récipient du robot, arroser d'eau bouillante et mixer pour obtenir une préparation homogène. Ajouter le sucre, les œufs, la margarine, la farine, la levure chimique, la cannelle et, pour finir, la poudre de cacao et mixer à nouveau pour obtenir un mélange onctueux.

■ Verser dans un plat à soufflé huilé ayant une contenance d'un litre. Couvrir de film alimentaire percé de deux ou trois trous et enfourner au micro-ondes.

■ Laisser cuire à 70 % de la puissance maximale pendant 6 à 7 minutes.
Le pudding doit rester moelleux quand on le pique.

■ Retirer du four et laisser refroidir quelques minutes avant de servir.

Crème brûlée à la framboise et au yaourt

Préparé avec du yaourt à la grecque à la place de la crème fraîche, ce dessert est moins riche en matière grasse qu'une crème brûlée traditionnelle. Les framboises vous apportent beaucoup de fibres et de phytonutriments.

Temps de préparation : **15 minutes** (V)
Temps de cuisson : **5 minutes environ**
Pour **4 personnes**

Riche en : **calcium, fibres** et **vitamine C**

- *350 g de framboises fraîches ou surgelées*
- *25 g de sucre en poudre*
- *750 ml de yaourt à la grecque*
- *75 g de sucre semoule*

■ Préchauffer le grill.
■ Étaler les framboises dans un plat à gratin peu profond ou 4 ramequins individuels et les saupoudrer de sucre en poudre. Napper de yaourt et répartir uniformément, à l'aide d'une cuillère, sur toute la surface.
■ Saupoudrer de sucre semoule et passer au grill 5 minutes environ, jusqu'à ce que le sucre brunisse et se boursoufle légèrement. Soyez vigilante, car le temps de cuisson varie d'un grill à l'autre.
■ Servir la crème toute chaude ou glacée.

Pudding de pain perdu au panettone

Pour ce gâteau de pain perdu délicatement parfumé, nous avons utilisé pour moitié du panettone, cette savoureuse brioche au léger goût d'épices que l'on mange traditionnellement à Noël, en Italie.

Temps de préparation : **10 minutes** Ⓥ
Temps de cuisson : **30 à 35 minutes**
Pour **4 personnes**

Riche en : **calcium, fibres** et **protéines**

- *Huile de tournesol, pour le plat*
- *3 tranches de pain blanc frais*
- *25 g de beurre doux*
- *4 tranches de panettone (rondes)*
- *40 g de raisins de Corinthe*
- *3 œufs*
- *300 ml de lait demi-écrémé ou écrémé*
- *25 g de sucre semoule*
- *Crème fouettée ou crème fraîche, pour servir*

■ Préchauffer le four à 180°C. Huiler légèrement un plat creux à gratin d'huile de tournesol.

■ Tartiner les tranches de pain blanc d'un peu de beurre, puis couper chaque tranche en quatre, en diagonale. Couper de la même façon chaque tranche de panettone.

■ Disposer une couche de pain blanc au fond du plat, saupoudrer de quelques raisins secs, puis disposer par-dessus une couche de panettone. Répéter l'opération en terminant par une couche de panettone.

■ Battre longuement les œufs, le lait et le sucre. Verser ce mélange sur le gâteau et enfourner. Laisser cuire 30 à 35 minutes, jusqu'à ce que la préparation commence à dorer.

■ Laisser refroidir légèrement avant de servir, accompagné de crème fouettée ou d'un peu de crème fraîche.

Gâteau de riz au safran et au citron

Ce dessert plutôt consistant est plein de bonnes choses pour votre santé. Nous y avons ajouté du citron, des raisins de Corinthe et du safran, pour une petite touche de raffinement, mais il est aussi délicieux nature. Il sera plus crémeux si vous utilisez du lait demi-écrémé.

Temps de préparation : **5 minutes** Ⓥ
Temps de cuisson : **45 minutes**
Pour **4 personnes**

Riche en : **vitamines B, calcium** et **fibres**

- *750 ml de lait demi-écrémé ou écrémé*
- *60 g de riz rond*
- *50 g de sucre semoule*
- *50 g de raisins de Corinthe*
- *Le zeste d'un citron râpé*
- *1 gousse de vanille*
- *1/2 cuillère à café d'étamines de safran écrasées*

■ Mettre tous les ingrédients dans une grande casserole anti-adhésive et porter à ébullition, à feu doux, en remuant fréquemment.

■ Couvrir et laisser frémir à tout petit feu 40 à 45 minutes, jusqu'à ce que la préparation épaississe et prenne une consistance onctueuse. Remuer de temps en temps afin qu'elle n'attache pas.

■ Retirer la gousse de vanille avant de servir.

Pudding de pain perdu au panettone

Gâteaux, biscuits et pain

Petits gâteaux de flocons d'avoine aux pignons et au sirop d'érable

Délicatement parfumés au sirop d'érable, ces gâteaux vous offrent un apport énergétique durable et un complément de fibres grâce aux flocons d'avoine. Ils se conserveront une semaine dans une boîte hermétique, si toutefois vous ne les avez pas mangés avant !

Temps de préparation : **5 minutes**
Temps de cuisson : **12** à **15 minutes**
Pour **20 gâteaux**

Riche en : **fibres** et **vitamine E**

- *Huile ou beurre, pour le plat*
- *100 g de margarine de tournesol*
- *75 g de cassonade*
- *50 g de pignons*
- *2 cuillères à soupe de sirop d'érable*
- *250 de flocons d'avoine*

■ Préchauffer le four à 200°C (thermostat 6). Huiler un moule rectangulaire de 22 x 30 cm.
■ Dans un grand saladier allant au four à micro-ondes, mettre la margarine et

le sucre et faire chauffer pendant 1 à 2 minutes à 100 % de la puissance maximale, jusqu'à ce que le mélange ait fondu. Vous pouvez aussi faire fondre la margarine et le sucre à feu doux, dans une grande casserole. Ajouter les pignons, le sirop d'érable et les flocons d'avoine et bien mélanger.
■ Verser cette préparation dans le moule, en la lissant pour bien la répartir, et faire cuire au four 12 à 15 minutes, jusqu'à ce que le gâteau soit bien doré.
■ Sortir du four et laisser refroidir 2 à 3 minutes. Avec un couteau pointu, couper le gâteau en 20 petits biscuits allongés et laisser refroidir complètement.
■ Lorsque le moule est froid, retirer les petits gâteaux et les conserver dans une boîte hermétique.

Cookies d'avoine aux canneberges

Temps de préparation : **15 minutes**
Temps de cuisson : **10** à **12 minutes**
Pour **18 cookies**

Riche en : **fibres** et **vitamines C** et **E**

- *100 g de beurre doux ou de margarine de tournesol*
- *75 g de sucre en poudre*
- *1 jaune d'œuf*
- *1/2 cuillère à café d'extrait de vanille*
- *50 g de canneberges séchées, hachées*
- *150 g de farine blanche tamisée*
- *50 g de flocons d'avoine*
- *Huile ou beurre, pour la plaque*

■ Préchauffer le four à 190°C.
■ Dans un saladier, travailler le beurre et le sucre en pommade, puis ajouter le jaune d'œuf, l'extrait de vanille et les canneberges.
■ Incorporer la farine et travailler la pâte, qui doit rester souple. Former de petites boules de pâte de la taille d'une noix.
■ Les rouler une à une dans les flocons d'avoine, en appuyant légèrement pour qu'ils adhèrent mieux à la pâte.
■ Poser chaque cookie sur une plaque à pâtisserie huilée, en l'aplatissant légèrement avec la fourchette. Faire cuire 10 à 12 minutes au four.
■ Laisser refroidir 5 minutes avant de transférer les cookies sur une grille à pâtisserie pour qu'ils finissent de refroidir.

Brownies au chocolat et aux noix de pécan

Temps de préparation : **15 minutes** (v)
Temps de cuisson : **30 à 35 minutes**
Pour **16 brownies**

Riche en : **vitamines A, D et E et zinc**

Pour les brownies :

- *Huile ou beurre, pour le moule*
- *75 g de bon chocolat noir*
- *75 g de margarine de tournesol*
- *150 g de sucre de régime muscovado*
- *1 cuillère à café d'extrait de vanille*
- *2 œufs moyens, battus*
- *75 g de noix de pécan, grossièrement hachées*
- *100 g de farine avec poudre levante*

Pour le glaçage :

- *60 g de bon chocolat noir*
- *75 g de sucre glace tamisé*
- *1 cuillère à dessert de lait*
- *1/2 cuillère à café d'extrait de vanille*
- *2 cuillères à soupe de noix de pécan concassées*

■ Préchauffer le four à 180°C. Huiler un moule carré de 20 cm de côté et le chemiser de papier sulfurisé.

■ Mettre le chocolat et la margarine dans un bol résistant à la chaleur et faire fondre au bain-marie.

■ Ajouter le sucre, l'extrait de vanille et les œufs, et mélanger. Incorporer les noix et la farine. Mélanger longuement pour obtenir une pâte lisse. Verser dans le moule.

■ Enfourner et laisser cuire pendant 30 à 35 minutes. Les brownies doivent rester bien moelleux. Sortir du four et laisser refroidir dans le moule.

■ Pour le glaçage, faire fondre le chocolat au bain-marie, puis ajouter le sucre glace, le lait et l'extrait de vanille. Bien mélanger et napper les brownies froids de cette préparation.

■ Saupoudrer de noix de pécan hachées et lorsque le glaçage a pris, découper le gâteau en 16 petits brownies.

Gâteau de carottes aux épices

Ce délicieux gâteau est excellent pour votre santé car même cuites, les carottes conservent leur bêta-carotène. Vous pouvez le manger sans crème, pour limiter l'apport calorique, ou réduire les proportions de moitié, pour un gâteau plus petit.

Temps de préparation : **15 minutes**   ⓥ
Temps de cuisson : **40 à 45 minutes**

Riche en : **bêta-carotène, fibres, protéines et vitamines B et D**

Pour le gâteau :
- *400 ml d'huile de tournesol, et un peu pour le plat*
- *300 g de sucre de régime muscovado*
- *6 gros œufs, battus*
- *1 cuillère à café d'extrait de vanille*
- *1 cuillère à café de quatre-épices*
- *6 carottes moyennes, finement râpées (350 g une fois râpées)*
- *400 g de farine complète avec poudre levante*

Pour la crème :
- *30 g de beurre ramolli*
- *40 g de fromage frais à tartiner*
- *1 cuillère à soupe de jus de citron*
- *150 g de sucre glace, et un peu pour saupoudrer*

■ Préchauffer le four à 180°C. Garnir deux moules de 20 cm de diamètre de papier sulfurisé légèrement huilé.

■ Dans un grand saladier, battre l'huile avec le sucre, puis ajouter les œufs et, pour finir, l'extrait de vanille, les quatre-épices et les carottes. Bien mélanger le tout, puis incorporer la farine.

■ Répartir équitablement la pâte dans les deux moules et enfourner pour 40 à 45 minutes de cuisson, jusqu'à ce que les gâteaux soient cuits tout en restant moelleux lorsqu'on les pique avec la pointe d'un couteau.

■ Les sortir du four et laisser refroidir 2 à 3 minutes avant de démouler sur une grille à pâtisserie.

■ Préparer la crème en travaillant le beurre ramolli, le fromage frais, le jus de citron et le sucre glace. Étaler cette préparation sur l'un des deux gâteaux, avec une spatule, puis recouvrir du deuxième gâteau. Saupoudrer légèrement de sucre glace tamisé avant de servir.

Gâteau à la banane et aux noix du Brésil

Les noix du Brésil ajoutent un petit côté croquant à ce gâteau moelleux. Si vous ne disposez pas d'un robot ménager, choisissez plutôt la seconde méthode.

Temps de préparation : **5 minutes**   ⓥ
Temps de cuisson : **1 heure à
1 heure 10**
pour **1 gâteau de 900 g**

Riche en : **fibres, protéines, sélénium et vitamines B$_6$ et D**

- *150 g de margarine de tournesol, plus un peu pour le moule*
- *150 g de sucre roux*
- *3 bananes*
- *3 œufs moyens*
- *150 g de farine complète avec poudre levante*
- *1 cuillère à café rase de levure chimique*
- *1/2 cuillère à café d'extrait de vanille*
- *100 g de noix du Brésil concassées*

■ Préchauffer le four à 180°C. Chemiser un grand moule à cake (de 900 g) de papier sulfurisé et le huiler légèrement.

■ Dans le récipient du robot, mixer tous les ingrédients, sauf les noix, pour obtenir une préparation homogène. Après avoir retiré la lame du hachoir, incorporer les noix du Brésil.

■ Verser cette préparation dans le moule, enfourner et laisser cuire 1 heure à 1 heure 10, jusqu'à ce que le gâteau soit cuit lorsqu'on le pique avec la lame d'un couteau (elle doit ressortir bien sèche), tout en restant moelleux.

■ Attendre 5 minutes avant de démouler. Enlever le papier et laisser refroidir sur une grille à pâtisserie.

Seconde méthode
Cette seconde variante ne contient pas de levure chimique.

■ Dans un petit saladier, écraser les bananes. Dans un bol, battre les œufs et l'extrait de vanille.

■ Dans un grand saladier, travailler le beurre et le sucre pour obtenir une pommade, puis incorporer petit à petit les œufs.

■ Continuer à battre tout en ajoutant les bananes écrasées, puis incorporer la farine mélangée aux noix concassées. Verser cette pâte dans le moule et faire cuire comme précédemment.

Gâteau de carottes aux épices

Scones au cheddar et au céleri

Temps de préparation : **10 minutes** (V)
Temps de cuisson : **12 minutes**
Pour **10 scones**

Riche en : **vitamine B, calcium, fibres** et **protéines**

- *1 cuillère à soupe d'huile d'olive*
- *2 branches de céleri, finement émincées*
- *100 g de farine blanche avec poudre levante*
- *100 g de farine complète avec poudre levante*
- *1/2 cuillère à café de levure chimique*
- *1 noix de margarine*
- *75 g de cheddar affiné, râpé*
- *1 œuf moyen*
- *125 ml de lait demi-écrémé*
- *Quelques copeaux de parmesan ou de cheddar*

■ Préchauffer le four à 200°C en laissant la lèchefrite à l'intérieur.

■ Dans une petite casserole, mettre l'huile à chauffer et faire revenir le céleri à petit feu, 5 minutes environ. Retirer du feu et laisser refroidir.

■ Dans un saladier, mélanger les deux farines et la levure. Incorporer la margarine, puis le fromage.

■ Battre l'œuf avec le lait, puis verser petit à petit cette préparation (réservez-en un peu pour le glaçage) sur la farine, en mélangeant bien afin d'obtenir une pâte souple, mais qui ne colle pas aux doigts.

■ Étaler sur 2 cm d'épaisseur puis, avec un emporte-pièce de 6 cm de diamètre, découper 10 cercles de pâte.

■ Retirer avec précaution la lèchefrite chaude du four, y poser les scones et les badigeonner légèrement d'œuf. Saupoudrer d'un peu de fromage et faire cuire 12 minutes.

■ Laisser refroidir sur une grille à pâtisserie avant de servir. Ces scones sont délicieux en en-cas, pour accompagner une soupe ou faire un repas léger.

Pains aux graines de tournesol, de citrouille et de pavot

Temps de préparation : **15 minutes** (V)
(plus le temps de lever)
Temps de cuisson : **25 à 30 minutes**
Pour **2 pains**

Riche en : **fibres, magnésium, protéines** et **vitamines B** et **E**

- *250 g de farine blanche avec poudre levante*
- *250 g de farine complète avec poudre levante*
- *1/2 cuillère à café de sel*
- *50 g de graines de tournesol*
- *50 g de graines de citrouille ou de melon*
- *20 g de graines de pavot*
- *2 cuillères à soupe d'huile d'olive*
- *1 sachet de levure de boulanger*
- *500 ml d'eau chaude mais non bouillante*
- *Farine, pour le fleurage*
- *Huile ou beurre, pour le moule*

■ Mélanger les deux farines, le sel et les graines dans un saladier. Ajouter l'huile et travailler avec une spatule.

■ Ajouter la levure et la majeure partie de l'eau. Pétrir pour obtenir une pâte souple mais non collante, en rajoutant de l'eau si nécessaire. Poser sur une surface farinée et continuer à pétrir encore 5 minutes.

■ Poser la boule de pâte dans un saladier propre, recouvrir de film alimentaire et laisser reposer dans un endroit tiède, le temps que la pâte double de volume (soit environ 35 à 45 minutes). Huiler deux plaques allant au four.

■ Pétrir à nouveau la pâte, légèrement, et la diviser en deux. Recouper chacune de ces deux moitiés en trois, puis rouler les 6 boules de pâte pour leur donner la forme allongée d'un boudin. Tresser 3 boudins de pâte et poser la tresse sur la plaque huilée.

■ Procéder de même avec la seconde moitié de la pâte. Couvrir les pains de film alimentaire, sans serrer, et laisser lever à nouveau (35 à 45 minutes) pour que la pâte double de volume.

■ Préchauffer le four à 220°C.

■ Enfourner et laisser cuire 25 à 30 minutes, jusqu'à ce que chaque tresse soit joliment dorée et émette un son creux lorsqu'on tapote le dessous. Sortir du four et laisser refroidir sur une grille à pâtisserie.

Petits extras

Index

Index

Crédits photographiques